Manuel d'astrologie élémentaire

Sylvestre Zinnato

Manuel d'astrologie élémentaire

Éditions de Mortagne

Édition:

Les Éditions de Mortagne
250, boul. Industriel
Boucherville (Québec)
J4B 2X4

Diffusion:

Tél.: (514) 641-2387

Dépôt légal:

Bibliothèque nationale du Canada
Bibliothèque nationale du Québec
2e trimestre 1989

ISBN: 2-89074-286-5

1   2   3   4   5 - 89 - 93 92 91 90 89

IMPRIMÉ AU CANADA

TABLE DES MATIÈRES

CHAPITRE I

NOTIONS PRÉLIMINAIRES DE COSMOGRAPHIE

Lorsqu'on entreprend l'étude d'une science aussi complexe que l'Astrologie, nombreux sont les termes qui, à première vue, paraissent rébarbatifs et incompréhensibles: sphère céleste, zodiaque, écliptique, etc. Que veulent dire tous ces termes?

SPHÈRE CÉLESTE:

Imaginez un instant, que par un beau soir d'été, alors que le ciel est dégagé de tous nuages, vous sortiez de chez vous pour contempler les étoiles au-dessus de votre tête. Elles vous sembleront piquées sur une voûte courbe, et la verticale issue de vous-même percera cette voûte au zénith. Le plan horizontal, qui passera par votre œil, déterminera l'horizon théorique. Vous aurez l'impression d'avoir au-dessus de votre tête une sorte de calotte sphérique, qui se continuera sous vos pieds, par une autre identique. Ces deux calottes forment, par la juxtaposition de leur grand cercle, ce que l'on appelle la SPHÈRE CÉLESTE. Leur plan de contact détermine une circonférence communément appelée l'ÉQUATEUR CÉLESTE. (Figures 1 et 2)

ZODIAQUE ET ÉCLIPTIQUE:

Le ZODIAQUE est une bande de la sphère céleste qui mesure 17 degrés de largeur et qui est partagée en 12 cases rectangulaires que le Soleil traverse successivement environ tous les 30 jours. La position de cette bande par rapport à l'équateur céleste est inclinée vers le nord et vers le sud d'environ 23°27'. Le Zodiaque a été établi vers le troisième siècle avant notre ère et il est divisé sur toute sa longueur par une ligne imaginaire dont le plan détermine avec l'équateur céleste un angle de 23°27' appelé ANGLE D'ÉCLIPTIQUE. L'écliptique est représentative de la marche du Soleil dans le ciel. (Figure 3)

LE POINT VERNAL:

De par sa position différente de celle de l'équateur, l'écliptique coupe ce dernier en deux points dont l'un est le POINT VERNAL ou point zéro. C'est à partir de ce point vernal que l'on compte les degrés du zodiaque ou de l'écliptique. Il marque en outre le zéro de la constellation du Bélier.

LONGITUDES ET ASCENSION DROITE:

Les mesures d'angles effectuées sur l'écliptique en partant du point vernal se nomment des LONGITUDES. Elles se comptent en degrés, minutes et secondes d'arc. Les mesures effectuées sur l'équateur céleste sont faites en heures, minutes et secondes et s'appellent des ASCEN-SIONS DROITES. L'ascension droite peut se calculer aussi bien en temps qu'en degrés. Comme nous venons de le voir, le zodiaque est circulaire, il mesure donc 360° et est divisé en 12 cases rectangulaires et égales contenant chacune une constellation. Ces constellations partant du point vernal sont les suivantes: BÉLIER, TAUREAU, GÉMEAUX, CANCER, LION, VIERGE, BALANCE, SCORPION, SAGITTAIRE, CAPRICORNE, VER-SEAU, POISSONS.

Chaque case mesure 30° d'arc et le dernier degré de l'une correspond au premier degré de la suivante. Chaque constellation est représentée par un hiéroglyphe qu'il est indispensable de connaître par cœur.

LATITUDES:

Perpendiculairement aux longitudes qui, comme nous venons de le voir, situent les lieux géographiques sur un plan est-ouest, les LATITUDES nous donnent leur position par rapport au nord et au sud. Évaluées en degrés, les latitudes sont des cercles parallèles à l'équateur. Une ville aura une latitude nord si elle se trouve dans l'hémisphère nord, et si cette ville est Montréal par exemple, sa latitude nord sera d'environ 45° parce qu'on trouve cette métropole québécoise à proximité du cercle 45. On dira que Montréal est située par 45° de latitude nord environ. Pour une ville située dans l'hémisphère sud, c'est le cas de Melbourne en Australie, nous dirons que cette ville est située par 38°20' de latitude sud.

Une carte du ciel se dressera toujours pour le lieu de naissance, elle sera donc établie pour le point d'intersection de la longitude et de la latitude.

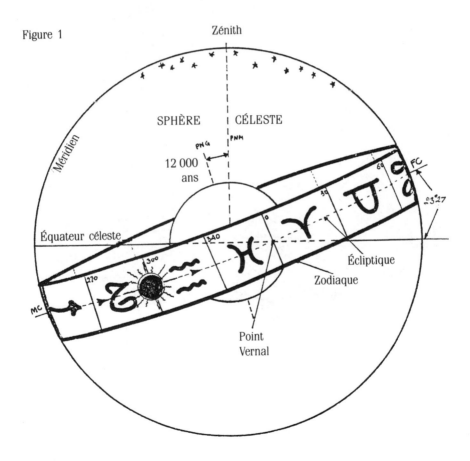

Figure 1

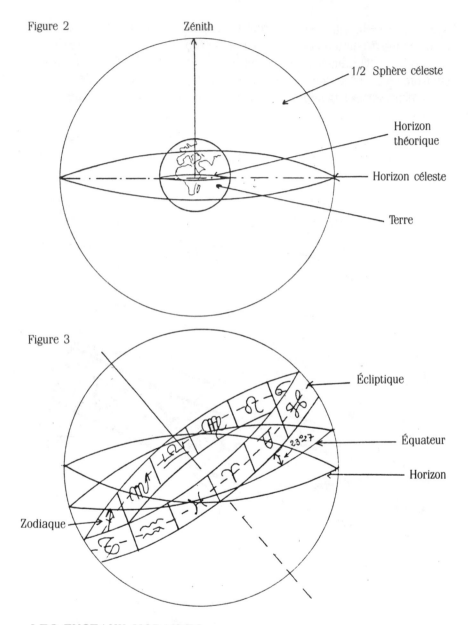

Figure 2

Zénith

1/2 Sphère céleste

Horizon théorique

Horizon céleste

Terre

Figure 3

Écliptique

Équateur

Horizon

23°27'

Zodiaque

LES FUSEAUX HORAIRES:

Les fuseaux horaires furent établis par une convention internationale qui se tint à Genève, en Suisse, le 9 mars 1911. On décida de diviser le globe terrestre en 24 fuseaux distants les uns des autres de

14

15° d'arc et représentant chacun UNE HEURE de temps. Il est donc compréhensible que chaque degré vaille 4' de temps moyen. Les 24 fuseaux représentaient aussi les 24 heures du jour moyen. Le méridien de Greenwich près de Londres fut considéré comme méridien d'origine à partir duquel on compterait les écarts. On l'appela le méridien Zéro et il servit d'axe pour le fuseau numéro 1, lequel s'étend toujours à l'est comme à l'ouest sur une longitude égale à 7°30' à partir de cet axe. Tous les pays faisant partie de ce fuseau ont la même heure que Greenwich, c'est le cas pour la France, l'Angleterre et la Belgique. En partant vers l'est, les fuseaux sont numérotés positivement jusqu'à 12 heures et en se dirigeant vers l'ouest, ils le sont généralement jusqu'à la même heure. C'est ainsi que la ville de Calcutta qui se trouve à l'est de Greenwich dans le fuseau «6» possède 6 heures de plus que cette dernière ville. Lorsqu'il est 13 heures à Greenwich il est donc 19 heures à Calcutta. De même Montréal se trouvant dans le fuseau «5», mais à l'ouest, est en retard de 5 heures par rapport à Greenwich; aussi, lorsque les horloges sonnent midi dans cette ville il n'est encore que 7 heures du matin à Montréal.

À titre indicatif, vous trouverez ci-après la liste des principaux pays du monde avec leurs écarts par rapport au méridien d'origine (tableau I), et celle de quelques villes du Québec (tableau II) qui pourront vous être utiles ultérieurement.

TABLEAU I: LES FUSEAUX HORAIRES

Écarts des différents pays du monde par rapport à Greenwich ou au méridien d'origine:

Afrique:

Açores, Afrique Orientale		Éthiopie	+ 3h
et Portugaise	+ 2h	Gabon	+ 1h
Algérie	+ 1h	Ghana	+ 1h
Angola	+ 1h	Kenya	+ 1h
Burkina – Faso	0h	Libéria	– 0h44'
Cameroun	+ 1h	Libye	+ 2h
Canaries (îles)	0h	Madagascar	+ 3h
Côte d'Ivoire	0h	Maroc	0h
Dahomey	+ 1h	Niger	+ 1h
Égypte	+ 2h	Nigéria	+ 1h
		Ouganda	+ 3h

République sud-africaine	+ 2h	Vermont, Virginie Occi.	
Réunion (île de la)	+ 4h	District de Columbia	−5h
Ruanda Urundi	+ 2h	Alabama, Arkansas, Dakota,	
Sénégal	0h	Illinois, Indiana, Iowa, Kansas	
Sierra Leone	0h	Kentucky, Louisiane, Minnesota	
Somalie	+ 3h	Mississippi, Missouri, Nebraska,	
Soudan	+ 2h	Oklahoma, Tennessee, Texas,	
Tanzanie	+ 3h	Wisconsin	−6h
Tchad	+ 1h	Arizona, Colorado	
Togo	0h	Idaho, Montana	
Tunisie	+ 1h	Nouveau-Mexique, Utah,	
Zaïre	+ 1h	Wyoming	−7h
Zanzibar	+ 3h	Californie, Nevada	
Zimbabwe	+ 2h	Oregon, Washington	−8h
		Groënland	−2h

Amérique du Nord:

Alaska:

Amérique Centrale:

à l'est de 137° ouest	−8h	Antilles Néerlandaises	−4h30'
de 137° à 141° ouest	−9h	Australie Occidentale	+ 8h
de 141° à 162° ouest	−10h	Argentine	−4h
à l'ouest de 162° ouest	−11h	Bahamas	−5h
Îles Aléoutiennes	−11h	Basse Californie au-dessus	
		du 28° nord	−7h
Canada:		Bermudes	−4h
Terre-Neuve, Labrador	−3h30'	Bolivie	−4h
Nouveau-Brunswick et		Brésil Central	−4h
Nouvelle-Écosse,		Brésil Occidental	−5h
Île du Prince-Édouard,		Brésil Oriental	−3h
Québec à l'est du 68°	−4h	Broken Hill	+ 8h30'
Territoire du Nord-		Carolines à l'est de	
Ouest et Ontario plus		160° est	+ 10h
Québec à l'ouest du 68°	−5h	à l'ouest de 160° est	+ 12h
Manitoba	−6h	Nouvelle-Calédonie	+ 11h
Alberta	−7h	Trinité (Trinidad) (Île)	−2h
Colombie-Britannique	−8h	Chili	−4h
Yukon	−9h	Colombie	−5h
		Costa Rica	−6h
États-Unis:		Cuba	−5h
Caroline du Nord et du Sud		Australie Méridionale	+ 9h30'
Connecticut, Delaware		Petites Antilles	−4h
Floride, Georgie, Maine		Dominicaine (République)	−5h
Massachusetts, Michigan		Fidji	−10h
New-Hampshire, New Jersey		Galapagos	−6h
New York, Ohio,		Gilbert et Ellice (Îles)	+ 12h
Pennsylvanie, Rhode Island		Guatemala	−6h

Guyana	−3h45'	Tchécoslovaquie	+ 1h
Guyane Française	−4h	Turquie	+ 2h
Haïti	−5h	URSS de 40° à 52° est	+ 4h
Uruguay	−3h	à l'est de 52°30'	+ 5h
Hawaï	−10h	Côte Est de la mer Noire	
Jamaïque	−5h	et de la mer D'Azov	+ 4h
Mariannes	+ 10h	Zone côtière à l'ouest	
Marshall	+ 12h	de 40° est	+ 3h
Mexique: province de		Côte de la mer d'Azov	
Sonora, Sinaloa, Navarit,		jusqu'à 40° est	+ 3h
Basse Californie,		Yougoslavie	+ 1h
au-dessous de 28° nord	−7h		
Midway	−11h		
Nicaragua	−6h		

Asie:

Nouvelle-Galles			
du Sud et Victoria	+ 10h	Afghanistan	+ 4h30'
Porto Rico	−4h	Birmanie	+ 6h30'
Panama	−5h	Cambodge	+ 7h
Paques (Île)	−7h	Ceylan (Île)	+ 5h30'
Paraguay	−4h	Chine sauf Manchourie	+ 8h
Pérou	−5h	Chine + Manchourie	+ 9h
Venezuela	−4h30'	Chypre	+ 2h
		Corée Nord et Sud	+ 9h
		Formose (Île)	+ 8h

Europe

		Hong-Kong	+ 8h
Albanie	+ 1h	Inde	+ 5h30'
Allemagne	+ 1h	Irak	+ 3h
Autriche	+ 1h	Iran	+ 3h30'
Belgique	+ 1h	Israël	+ 2h
Bulgarie	+ 2h	Jordanie	+ 2h
Danemark	+ 1h	Japon sauf Ogasawara	+ 9h
Finlande	+ 1h	Japon + Ogasawara	+ 10h
France	+ 1h	Koweit	+ 3h
Gibraltar	+ 1h	Laos	+ 7h
Grèce	+ 2h	Liban	+ 2h
Grande-Bretagne	0h	Macao	+ 8h
Irlande	0h	Malaisie	+ 7h30'
Islande	−1h	Pakistan Occidental	
Italie	+ 1h	sauf Gwadar	+ 5h
Luxembourg	+ 1h	Pakistan Occidental	
Norvège	+ 1h	+ Gwadar	+ 4h30'
Pays-Bas	+ 1h	Pakistan Oriental	+ 6h
Portugal	0h	Singapour	+ 7h30'
Suède	+ 1h	Syrie	+ 2h
Suisse	+ 1h	Thaïlande	+ 7h
Roumanie	+ 2h	Turquie d'Asie	+ 2h

URSS à l'ouest de
67°30' est   + 5h
de 67°30' à 82°30' est   + 6h
de 82°30' à 97°30' est   + 8h
de 97°30' à 112°30' est   + 8h

de 112°30' à 127°30' est   + 9h
de 127°30' à 142°30' est   + 10h
de 142°30' à 157°30' est   + 11h
de 157°30' à 172°30' est   + 12h

TABLEAU II:

SITUATION GÉOGRAPHIQUE DES VILLES DU QUÉBEC ET ÉCART HORAIRE PAR RAPPORT À GREENWICH

Ville				Ville			
Amos	78°07	48	5h12'28"	Mégantic	70°52	45	4h43'28"
Arvida	71°11	48	4h44'44"	Montmagny	70°33	47	4h42'12"
Asbestos	71°57	45	4h47'48"	Montréal	73°34	45	4h54'16"
Bagotville	70°53	48	4h34'32"	Nicolet	72°38	46	4h50'32"
Beauharnois	73°53	45	4h55'32"	Noranda	79°04	48	5h16'16"
Berthierville	73°11	46	4h52'44"	Outremont	73°37	45	4h54'28"
Chicoutimi	71°05	48	4h44'20"	Pointe-aux-			
Coaticook	71°49	45	4h47'16"	Trembles	75°29	45	4h54'56"
Cowansville	72°45	45	4h51'00"	Pointe-Claire	73°49	45	4h55'16"
Dolbeau	72°15	49	4h49'00"	Port-Alfred	70°53	48	4h43'32"
Drummondville	72°29	47	4h49'56"	Québec	71°13	47	4h44'52"
Farnham	72°59	45	4h51'56"	Richmond	72°09	46	4h48'36"
Granby	72°44	45	4h50'56"	Rimouski	68°32	48	4h34'08"
Hull	75°44	45	5h02'56"	Rivière-du-Loup	69°32	48	4h38'08"
Iberville	73°14	45	4h52'56"	Roberval	72°14	48	4h48'56"
Joliette	73°27	46	4h53'48"	Rouyn	79°02	48	5h16'08"
Jonquière	71°05	48	4h44'20"	St-Hyacinthe	72°58	46	4h51'52"
Kénogami	71°14	48	4h44'56"	St-Jean	73°15	45	4h53'00"
Lachine	73°40	45	4h54'40"	St-Jérôme	74°00	46	4h56'00"
Lachute	74°20	46	4h57'20"	Shawinigan	72°45	46	4h51'00"
Laprairie	73°29	45	4h53'56"	Sherbrooke	71°54	45	4h47'36"
La Tuque	72°47	47	4h51'08"	Thetford-Mines	71°18	46	4h52'28"
Lauzon	71°10	47	4h44'40"	Trois-Rivières	72°34	46	4h50'16"
Laval	75°41	46	4h54'04"	Val-d'Or	77°46	48	5h11'04"
Longueuil	73°31	45	4h54'04"	Valleyfield	74°08	45	4h56'32"
Louiseville	72°57	46	4h51'48"	Victoriaville	71°58	46	4h47'52"
Magog	72°10	45	4h48'40"	Windsor	72°00	45	4h48'00"
Matane	67°34	49	4h30'16"				

QUESTIONNAIRE SUR LE PREMIER CHAPITRE

1- Quelle est la largeur du Zodiaque?

2- Le Zodiaque est incliné sur l'équateur céleste, quelle est la valeur de l'angle d'inclinaison?

3- Qu'est-ce que l'écliptique?

4- Donnez la valeur de l'angle d'écliptique.

5- Qu'est-ce que le point vernal?

6- Citez dans l'ordre les 12 constellations du zodiaque en commençant par le Bélier.

7- Chaque constellation couvre un angle du zodiaque, quelle est la valeur de cet angle?

8- Qu'est-ce que la longitude?

9- Qu'est-ce que la latitude?

10- Le 9 mars 1911 lors d'une convention internationale, le globe terrestre fut divisé en 24 fuseaux; de ce fait, tous les pays ont un écart bien déterminé par rapport au méridien de Greenwich pris comme méridien d'origine. En vous servant du tableau des fuseaux horaires, pouvez-vous nous dire:

   a) Quelle heure est-il dans l'île de Formose lorsqu'il est 17 heures à Greenwich?

   b) Lorsque les montres de Colombie marquent 8 heures, quelle heure est-il à Greenwich?

   c) Si un bébé naît à 19 heures, quelle heure est-il à Greenwich?

   d) Supposez que vous soyez né à Montréal à midi, quelle heure était-il à Greenwich?

CHAPITRE II

LA CARTE DU CIEL

La CARTE DU CIEL, ou figure de nativité, est une couronne divisée en 12 parties égales de 30 degrés chacune et occupées par les constellations stellaires. Les 12 constellations sont les suivantes:

BÉLIER, TAUREAU, GÉMEAUX, CANCER, LION, VIERGE, BALANCE, SCORPION, SAGITTAIRE, CAPRICORNE, VERSEAU et POISSONS.

Chacune de ces constellations est représentée par un hiéroglyphe qu'il est absolument nécessaire de connaître par cœur. Ces hiéroglyphes sont les suivants:

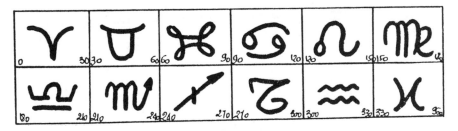

Jadis la carte du ciel était formée par un carré dans lequel on avait fait figurer 12 triangles égaux, comme le montre la figure 4. Actuellement les astrologues ont adopté une couronne (Figures 5A et 5B) sur laquelle sont inscrites les constellations. Nous pouvons remarquer que chaque constellation occupe un espace de 30 degrés.

Le Bélier de 0° à 30°
Le Taureau de 30° à 60°
Les Gémeaux de 60° à 90°
Le Cancer de 90° à 120°
Le Lion de 120° à 150°
La Vierge de 150° à 180°

La Balance de 180° à 210°
Le Scorpion de 210° à 240°
Le Sagittaire de 240° à 270°
Le Capricorne de 270° à 300°
Le Verseau de 300° à 330°
Les Poissons de 330° à 360°

Figure 5a

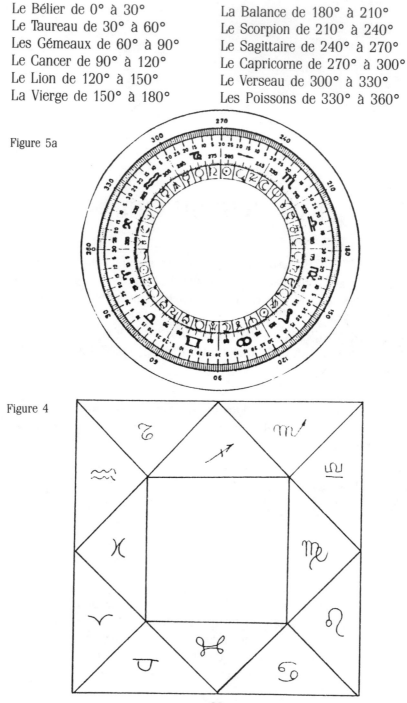

Figure 4

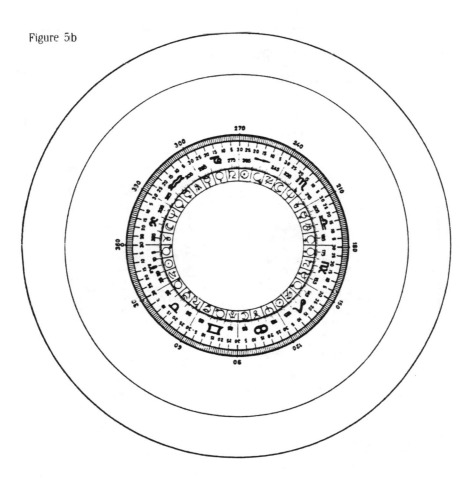

Figure 5b

LA DOMIFICATION:

À ce stade de notre étude, nous allons aborder une phase plus pratique de l'astrologie, en effectuant la DOMIFICATION de la carte du ciel.

Domifier une carte du ciel c'est trouver les points du zodiaque qui déterminent les limites des maisons ou secteurs astrologiques. Pour cela il nous faut connaître:

1) La position du Soleil à la naissance;

2) Le Temps Sidéral Exact de cette naissance.

23

TABLEAU III:

HEURES D'ÉTÉ AU QUÉBEC DEPUIS 1918

1918: du 14 avril au 27 octobre
1919: du 31 mars au 26 octobre[1]
1920: du 2 mai au 3 octobre
1921: du 1 mai au 2 octobre
1922: du 30 avril au 1 octobre

1951: du 29 avril au 30 septembre
1952: du 27 avril au 28 septembre
1953: du 26 avril au 27 septembre
1954: du 25 avril au 26 septembre
1955: du 24 avril au 25 septembre
1956: du 29 avril au 30 septembre

1923: du 17 juin au 1 septembre
1924: du 15 juin au 10 septembre[2]
1925: du 3 mai au 27 septembre
1926: du 2 mai au 26 septembre
1927: du 1 mai au 27 septembre
1928: du 29 avril au 30 septembre
1929: du 28 avril au 29 septembre
1930: du 27 avril au 28 septembre
1931: du 26 avril au 27 septembre
1932: du 24 avril au 25 septembre
1933: du 30 avril au 24 septembre
1934: du 29 avril au 30 septembre
1935: du 28 avril au 29 septembre
1936: du 26 avril au 27 septembre
1937: du 25 avril au 26 septembre
1938: du 24 avril au 25 septembre
1939: du 30 avril au 24 septembre

1957: du 28 avril au 27 octobre
1958: du 27 avril au 26 octobre
1959: du 26 avril au 25 octobre
1960: du 24 avril au 30 octobre
1961: du 30 avril au 29 octobre
1962: du 29 avril au 28 octobre
1963: du 28 avril au 27 octobre

1940*: Heure de guerre avancée
1941*: Heure de guerre avancée
1942*: Heure de guerre avancée
1943*: Heure de guerre avancée
1944*: Heure de guerre avancée

1964: du 26 avril au 25 octobre
1965: du 25 avril au 31 octobre
1966: du 24 avril au 30 octobre
1967: du 30 avril au 29 octobre
1968: du 28 avril au 27 octobre
1969: du 27 avril au 26 octobre
1970: du 26 avril au 24 octobre
1971: du 25 avril au 31 octobre
1972: du 30 avril au 29 octobre
1973: du 29 avril au 28 octobre
1974: du 28 avril au 27 octobre
1975: du 27 avril au 26 octobre
1976: du 25 avril au 31 octobre
1977: du 24 avril au 30 octobre
1978: du 30 avril au 29 octobre
1979: du 29 avril au 28 octobre
1980: du 27 avril au 26 octobre
1981: du 26 avril au 25 octobre
1982: du 25 avril au 31 octobre
1983: du 24 avril au 30 octobre

1945*:   au 30 septembre
1946: du 28 avril au 29 septembre
1947: du 27 avril au 26 septembre
1948: du 26 avril au 26 septembre
1949: du 24 avril au 30 septembre
1950: du 30 avril au 24 septembre

(1) Pour Sherbrooke: du 30 mars au 26 octobre 1919.
(2) Pour Montréal: du 17 mai au 28 septembre 1924.
*Heure de guerre avancée toute l'année. Toutefois certains petits villages n'ont pas toujours suivi l'heure avancée.

24

Ces renseignements nécessitent à leur tour l'utilisation de documents qui sont:

1) Des éphémérides planétaires;

2) Une table de maisons.

LES ÉPHÉMÉRIDES PLANÉTAIRES:

Ce sont des tables de positionnements solaires, lunaires et planétaires donnés pour chaque jour de l'année quelle que soit cette année.

LES TABLES DE MAISONS:

Elles sont généralement annexées aux éphémérides et sont conçues pour déterminer les pointes des maisons astrologiques ou Cuspides, en fonction du Temps Sidéral Exact de la naissance et de la latitude du lieu de naissance. Ultérieurement nous apprendrons à nous en servir.

Pour arriver à déterminer le Temps Sidéral Exact d'une naissance, il est nécessaire de procéder à un cheminement qui passe par l'heure légale, l'heure de Greenwich et enfin par l'Heure de Naissance Exacte. En effet lorsqu'un personnage vous annonce qu'il est né à 17 heures cela n'est en fait que l'heure légale de sa naissance mais nous avons besoin de connaître son HEURE DE NAISSANCE EXACTE, aussi devrons-nous procéder de la façon suivante:

HEURE DE NAISSANCE EXACTE:

Supposons qu'un Montréalais soit né le 24 septembre 1938 à 14h25'. La première question à se poser à son sujet est la suivante: les heures avancées étaient-elles en vigueur?

Pour trouver la réponse reportons-nous au tableau III qui donne les heures avancées au Québec depuis 1918. En 1938, les heures avancées furent en vigueur entre le 24 avril et le 25 septembre, donc pour le 24 elles étaient en vigueur, et nous devrons retrancher une heure à celle donnée par notre Montréalais qui est donc né à 14h25'– 1h00' = 13h25', heure normale de l'est. Notez bien qu'en astrologie nous travaillons toujours avec les heures normales et jamais avec les heures avancées.

Poursuivant nos recherches nous allons maintenant déterminer l'heure de Greenwich ou heure G.M.T. Pour ce faire nous procéderons de la façon suivante:

En premier lieu nous devons trouver la longitude de Montréal. Le tableau IV nous donne les longitudes et les latitudes des principales villes du Québec. Dans ce tableau, Montréal est situé par 73°34' de longitude ouest, donc à l'ouest du 68° ouest, et si nous nous reportons au tableau II des écarts par rapport à Greenwich (voir le chapitre I) nous voyons qu'à l'ouest du 68° ouest, l'écart avec le méridien d'origine est de 5 heures en retard, ce qui signifie que lorsqu'il est 13h25' à Montréal il est 5 heures de plus à Greenwich donc 18h25'. Ceci est donc l'heure G.M.T.

Cependant toutes les villes situées à l'ouest de 68° ouest n'ont pas le même écart par rapport à Greenwich, car certaines sont plus rapprochées de cette ville que d'autres. Québec, par exemple, est plus près de Greenwich que ne l'est Montréal, donc les deux villes n'auront pas le même écart et ne seront pas à la même heure. Pour trouver l'écart exact de Montréal par rapport à Greenwich nous devrons opérer de la façon suivante:

Sachant que chaque degré de longitude représente 4' de temps et chaque minute 4'', nous allons transformer la longitude de Montréal en temps et l'opération sera la suivante:

$$73°34' \times 4' \quad = 292'136''$$
$$136'' : 60 \quad = 2' \ 16''$$
$$292' + 2' \quad = 294'$$
$$294' : 60 \quad = 4h \ 54'$$
$$4h54' + 16'' \quad = 4h54'16''$$

L'écart entre Montréal et Greenwich est donc de 4h54'16'' et puisque l'heure G.M.T. est de 18h25', l'HEURE DE NAISSANCE EXACTE de notre personnage sera:

$$18h25' - 4h54' = 13h31'$$

En conclusion notre sujet sera né à 13h31' heure locale ou encore HEURE DE NAISSANCE EXACTE.

TABLEAU IV:

LONGITUDES ET LATITUDES DES PRINCIPALES VILLES DU QUÉBEC

Villes	Long.	Lati.	écart	G.M.T.
Amos, Abitibi	78007	48N34	−12 28	+ 5 12 28
Arvida, Chicoutimi	71011	48N26	+ 15 16	+ 4 44 44
Asbestos, Richmond	71057	45N46	+ 12 12	+ 4 47 48
Aylner East, Hull	75052	45N23	− 3 28	+ 5 03 28
Bagotville, Chicoutimi	70053	48N21	+ 16 28	+ 4 43 32
Beauharnois, Beauharnois	73053	45N19	+ 4 28	+ 4 55 32
Beauport, Québec	71012	46N52	+ 15 12	+ 4 44 48
Berthierville, Berthier	73011	46N05	+ 7 16	+ 4 52 44
Buckingham, Hull	75025	45N37	− 1 40	+ 5 01 40
Champlain	72030	46N22	+ 10 00	+ 4 50 00
Chicoutimi, Chicoutimi	71005	48N26	+ 15 40	+ 4 44 20
Coaticook, Stanstead	71049	45N08	+ 12 44	+ 4 47 16
Côte St. Michel, Hochelaga	73036	45N34	+ 5 36	+ 4 54 24
Cowansville, Missisquoi	72045	45N12	+ 9 00	+ 4 51 00
Dolbeau, Roberval	72015	48N53	+ 11 00	+ 4 49 00
Donnacona, Portneuf	71042	46N40	+ 13 12	+ 4 46 48
Drummondville, Drummond	72029	46N53	+ 10 04	+ 4 49 56
East Angus, Compton	71040	45N29	+ 13 20	+ 4 46 40
Farnham, Missisquoi	72059	45N17	+ 8 04	+ 4 51 56
Granby, Shefford	72044	45N24	+ 9 04	+ 4 50 56
Grand-Mère, St-Maurice	72041	46N37	+ 9 16	+ 4 50 44
Hull, Hull	75044	45N26	− 2 56	+ 5 02 56
Iberville, Iberville	73014	45N18	+ 7 04	+ 4 52 56
Joliette, Joliette	73027	46N01	+ 6 12	+ 4 53 48
Jonquière, Chicoutimi	71005	48N26	+ 15 40	+ 4 44 20
Kénogami, Chicoutimi	71014	48N26	+ 15 04	+ 4 44 56
Lachine, Jacques-Cartier	73040	45N26	+ 5 20	+ 4 54 40
Lachute, Argenteuil	74020	45N39	+ 2 40	+ 4 57 20
Laprairie, Laprairie	73029	45N25	+ 6 04	+ 4 53 56
La Tuque, St-Maurice	72047	47N26	+ 8 52	+ 4 51 08
Lauzon, Lévis	71010	46N50	+ 15 20	+ 4 44 40
Laval Rapides, Laval	75041	45N33	+ 5 16	+ 4 54 44
Lévis, Lévis	71012	46N49	+ 15 12	+ 4 44 48
Longueuil, Chambly	73031	45N32	+ 5 56	+ 4 54 04
Louiseville, Maskinongé	72057	46N16	+ 8 12	+ 4 51 48
Magog, Stanstead	72010	45N17	+ 11 20	+ 4 48 40
Malartic, Pontiac	78007	48N08	−12 28	+ 5 12 28
Matane, Matane	67034	48N50	−30 16	+ 4 30 16
Mégantic, Frontenac	70052	45N35	+ 16 32	+ 4 43 28
Montmagny, Montmagny	70033	46N59	+ 17 48	+ 4 42 12

Villes	Long.	Lati.	écart	G.M.T.
Montréal, Iron	73034	45N32	+ 5 44	+ 4 54 16
Nicolet, Nicolet	72038	46N14	+ 9 28	+ 4 50 32
Noranda, Témiscaminque	79004	48N15	−15 16	+ 5 16 16
Outremont, Hochelaga	73037	45N31	+ 5 32	+ 4 54 28
Pointe-aux-Trembles, Laval	75029	45N38	+ 6 04	+ 4 53 56
Pointe-Claire, Jacques-Cartier	73049	45N26	+ 4 44	+ 4 55 16
Port-Alfred, Chicoutimi	70053	48N20	+16 28	+ 4 43 32
Québec, Québec,	71013	46N48	+15 08	+ 4 44 52
Richmond, Richmond	72009	45N40	+11 24	+ 4 48 36
Rimouski, Rimouski	68032	48N27	+25 52	+ 4 34 08
Rivière-du-Loup, R. du Loup	69032	47N49	+21 52	+ 4 38 08
Roberval, Roberval	72014	48N31	+11 04	+ 4 48 56
Rouyn, Témiscamingue	79002	48N14	−16 08	+ 5 16 08
Ste-Anne-de-Bellevue, Jacques Cartier	73055	45N39	+ 4 20	+ 4 55 40
St-Hyacinthe, St-Hyacinthe	72058	45N38	+ 8 08	+ 4 51 52
St-Jean, St-Jean	73015	45N19	+ 7 00	+ 4 53 00
St-Jérôme, Terrebonne	74000	45N47	+ 4 00	+ 4 56 00
St-Lambert, Chambly	73030	45N30	+ 6 00	+ 4 54 00
St-Laurent, Jac. Cartier	73039	45N31	+ 5 24	+ 4 54 36
St-Laurent d'Orléans, Montmorency	71001	46N52	+15 56	+ 4 44 04
St-Pierre, Jac. Cartier	73039	45N26	+ 5 24	+ 4 54 36
Ste-Agathe-des-Monts, Terrebonne	74017	46N03	+ 2 52	+ 4 57 08
Ste-Thérèse-de-Blainville, Terrebonne	73050	45N38	+ 4 40	+ 4 55 20
Shawinigan Falls, St.-Maur.	72045	46N33	+ 9 00	+ 4 51 00
Sherbrooke, Sherbrooke	71054	45N24	+12 24	+ 4 47 36
Sorel, Richelieu	73007	46N03	+ 7 32	+ 4 52 28
Thetford Mines, Mégantic	71018	46N05	+14 42	+ 4 45 12
Trois-Rivières, Three Rivers	72034	46N21	+ 9 44	+ 4 50 16
Val d'Or, Pontiac	77046	48N07	−11 04	+ 5 11 04
Valleyfield (Salaberry-de- Beauharnois)	74008	45N16	+ 3 28	+ 4 56 32
Verdun, Hochelaga	73034	45N27	+ 5 44	+ 4 54 16
Victoriaville, Arthabaska	71058	46N04	+12 08	+ 4 47 52
Ville La Salle, Hochelaga	73038	45N25	+ 5 28	+ 4 54 32
Waterloo, Shefford	72031	45N21	+ 9 56	+ 4 50 04
Westmount, Hochelaga	73036	45N29	+ 5 36	+ 4 54 24
Windsor, Richmond	72000	45N34	+12 00	+ 4 48 00

QUESTIONNAIRE SUR LE DEUXIÈME CHAPITRE

1) Donnez les hiéroglyphes des signes du zodiaque en partant du Bélier.

2) Sans vous référer au chapitre, dites entre quels degrés se trouvent les signes de la Vierge, du Capricorne et du Verseau.

3) Si le Soleil natal d'un sujet se trouve à 248°, quel est le signe du sujet?

4) Quels sont les éléments nécessaires à la Domification d'une carte du ciel?

5) Qu'est-ce que des éphémérides planétaires?

6) Qu'est-ce qu'une table de maisons?

7) Déterminez l'HEURE DE NAISSANCE EXACTE d'un sujet né le 27 mars 1935 vers 9 heures à Shawinigan.

8) Si vous êtes né à Amos en 1922 le 10 octobre vers 19 heures 35' quelle aurait été votre heure de naissance exacte?

9) Des jumeaux sont nés à Québec à la date et aux heures suivantes:
Le premier, le 25 avril 1948 à 23h22'
Le second le 26 avril 1948 à 0h28'
Quelles sont leurs heures de naissance EXACTES?

10) Des jumeaux sont nés à St-Hyacinthe; le premier le 27 septembre 1953 vers 23h51', le second le 28 septembre 1953 vers 0h15'. Quelles sont leurs heures de naissance EXACTES, sachant que les heures d'été sont mises en vigueur aux dates citées à 0 heure et arrêtées à minuit?

CHAPITRE III

LE TEMPS SIDÉRAL EXACT DE LA NAISSANCE

Dans le deuxième chapitre nous avons effectué le cheminement nécessaire pour trouver l'heure de naissance exacte d'une personne née à Montréal. Nous avons constaté qu'il existait une petite différence entre les heures locales et les heures légales et que nous avions besoin de la longitude du lieu de naissance pour trouver l'heure nécessaire à la domification de la carte du ciel. Nous avons transformé cette longitude en temps et, après réduction des résultats, nous en sommes arrivés à une heure bien précise.

La deuxième opération, que nous allons effectuer maintenant, consiste à trouver le TEMPS SIDÉRAL d'une naissance, après quoi nous transformerons ce temps sidéral en TEMPS SIDÉRAL EXACT, nécessaire à la domification de la carte natale d'un individu.

DÉFINITION DU TEMPS SIDÉRAL:

Pour définir à un instant donné la position de la sphère céleste et de tous ses astres par rapport à la sphère locale, il suffit de connaître la position d'un point «A» par rapport au méridien, c'est-à-dire la valeur de l'angle B.O.A. que l'on trouve sur la figure 6 de ce chapitre. Cet angle qui s'accroît uniformément de 15° par heure porte le nom de TEMPS SIDÉRAL et se compte de 0 à 24 heures.

Il est 0 heure sidérale en un lieu lorsque le point «A» entraîne l'équateur, l'écliptique et la sphère céleste entière dans un mouvement de rotation de la ligne P P'. En termes plus simples, le temps sidéral correspond à l'angle formé par le point vernal avec le méridien; ainsi il est exactement 0 heure sidérale en un point du globe lorsque le point vernal coupe le méridien de cet endroit. Il faut bien reconnaître que parmi les calculs astrologiques, celui-ci est le plus important, car il permet de définir l'aspect du ciel d'un lieu à un moment précis qui est l'heure de naissance exacte. Toute erreur ou imprécision dans ces calculs conduit à des interprétations erronées.

Figure 6

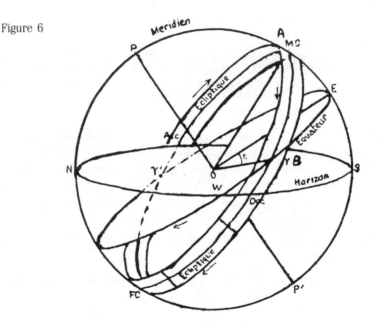

L'évaluation du temps sidéral s'obtient de la façon suivante:

Reportons-nous au tableau V de ce chapitre. C'est un tableau qui représente la position du Soleil au cours de son déplacement annuel au travers des signes du zodiaque. Le 1er janvier, par exemple, le Soleil se place à 280°, le 11 mai à 50°, etc. Nous savons maintenant que ces longitudes sont comptées à partir du point vernal. Ainsi le 13 juillet le Soleil est à 110°, donc se situe dans le signe du Cancer qui couvre une superficie comprise entre 90° et 120°. Supposons par exemple que nous voulions rechercher la position du Soleil le 14 juillet. Sachant que le 13 juillet le Soleil est à 110° et que son déplacement est en moyenne de UN degré par jour, il est facile de trouver qu'il se

32

placera à 111° le 14 juillet. Si d'autre part nous voulons savoir où il se trouve le 8 juin, sachant que le 1er juin il est à 70°, sept jours plus tard donc le 8 il sera à 70° + 7° = 77°. Il est à noter à ce stade de notre étude que l'on doit toujours prendre une date antérieure à celle cherchée afin de faire une addition et d'éviter le plus possible les soustractions qui conduisent à de graves erreurs.

Il va sans dire que lorsque l'on possède des éphémérides planétaires pour une date bien déterminée, nous obtenons des longitudes solaires voisines de celles trouvées par ce moyen, comme l'écart est infime les résultats sont des plus valables.

Connaissant donc la position solaire à une date déterminée, il devient aisé de trouver maintenant le TEMPS SIDÉRAL. Afin de respecter les convenances internationales, les positions solaires sont données pour midi ou minuit Greenwich. Donc, le 10 juillet par exemple, le Soleil sera à 108° pour MIDI G.M.T. et ainsi le temps sidéral que nous trouverons sera celui du 10 juillet midi Greenwich.

Reportons-nous maintenant au tableau du temps sidéral (tableau VI). Ce tableau nous indique les longitudes solaires et les temps sidéraux pour midi Greenwich. Par exemple lorsque le Soleil se trouve à 40° dans le zodiaque, le temps sidéral à midi est de 2h33', tandis que lorsqu'il se trouve à 110°, le temps sidéral sera de 7h21' toujours pour midi.

À titre d'exemple prenons un natif du 11 mai, le Soleil étant à 50° le natif sera signé par le Taureau et son temps sidéral sera égal à 3h14'.

TABLEAU V:

LONGITUDES SOLAIRES
POUR MIDI AU COURS DE L'ANNÉE ASTROLOGIQUE

Janvier	01	280°	Avril	10	20°
	10	290°		21	30°
	20	300°			
	30	310°	Mai	01	40°
Février	09	320°		11	50°
	19	330°		21	60°
Mars	01	340°			
	11	350°	Juin	01	70°
	21	360°		11	80°
	31	10°		22	90°

Juillet	02	100°	Octobre	04	190°
	13	110°		14	200°
	24	120°		24	210°
Août	03	130°	Novembre	03	220°
	14	140°		13	230°
	24	150°		23	240°
Septembre	03	160°	Décembre	03	250°
	14	170°		13	260°
	24	180°		23	270°

TABLEAU VI: CALCULS DU TEMPS SIDÉRAL À MIDI

Longitude solaire	T.S. à midi	Longitude solaire	T.S. à midi
0°	23h52	180°	12h07
10°	0h32	190°	12h48
20°	1h12	200°	13h28
30°	1h53	210°	14h07
40°	2h33	220°	14h47
50°	3h14	230°	15h26
60°	3h55	240°	16h05
70°	4h36	250°	16h44
80°	5h17	260°	17h23
90°	5h58	270°	18h01
100°	6h40	280°	18h40
110°	7h21	290°	19h19
120°	8h02	300°	19h57
130°	8h44	310°	20h36
140°	9h25	320°	21h15
150°	10h06	330°	21h54
160°	10h47	340°	22h33
170°	11h27	350°	23h13

Il est très important de bien saisir la manière de calculer ce temps sidéral; aussi nous prendrons un exemple, celui d'une personne née le 14 février. Le tableau des longitudes solaires nous indique que le 9 février le Soleil est à 320°; or, le 14, soit 5 jours plus tard, le Soleil sera à 320° + 5° = 325°. Pour connaître le temps sidéral reportons-nous au tableau VI, mais qui ne nous indique pas la longitude 325°. Par contre, nous avons celle équivalant à 320° qui indique que le temps sidéral est de 21h15'. La différence entre 320° et 325° est de 5°; or,

nous avons déjà appris que chaque degré de longitude représentait 4'
de temps. Nous allons transformer ces 5° en temps, ce qui nous donne:

5° X 4' = 20'.

Donc le supplément de 20' sera ajouté au temps sidéral de 320°
et nous aurons le temps sidéral du 14 février qui sera:

21h15' + 20' = 21h35'.

Nous dirons que la personne née le 14 février est du signe du
Verseau puisque le Soleil se trouve à 325° et que le temps sidéral de
cette journée est de 21h35' pour midi G.M.T.

Cela nous suffit-il pour dresser la carte du ciel de cette personne?
Non, car il nous faut connaître le temps sidéral exact de la naissance,
c'est-à-dire le temps sidéral au lieu de la naissance, mais surtout à
l'heure de la naissance. En effet si la personne est née 1 heure avant
midi, le temps sidéral devra être diminué de 1 heure, tandis que si le
sujet est né à 17h, le temps sidéral devra être augmenté de 5 heures
et à ce moment-là nous aurons trouvé le Temps Sidéral Exact nécessaire
à la domification de la carte natale.

À titre d'exemple, reprenons la naissance du 14 février en suppo-
sant toutefois que cette personne soit née à 8h25' en heure de naissance
exacte. Le temps sidéral que nous possédons pour le 14 février midi
est de 21h35'; or, notre personne est née à 8h25' le matin ou encore
3h35' avant midi. En effet 12h00' - 8h25' = 11h60' - 8h25' = 3h35'.
Puisque le temps sidéral à midi est de 21h35' et que la naissance a
eu lieu 3h35' avant, nous allons retrancher cette valeur à 21h35' et
nous aurons le TEMPS SIDÉRAL EXACT soit:

21h35' - 3h35' = 18h00'.

QUESTIONNAIRE SUR LE TROISIÈME CHAPITRE

Question 1:

Trouvez l'heure de naissance exacte d'un sujet né à Tampa en Floride (USA) le 19 janvier 1927 à 5h18'. Les coordonnées de Tampa sont les suivantes: 82°15' de longitude ouest et 28° de latitude nord.

Question 2:

Trouvez l'heure de naissance exacte d'un natif du 18 novembre 1926 à 18h32' à Moscou (URSS). Les coordonnées de Moscou sont les suivantes: 37°22' de longitude est et 55°45' de latitude nord.

Question 3:

Donnez la position du Soleil le 9 août, le 8 septembre et le 7 décembre.

Question 4:

Si le Soleil se trouve à 341°, quel jour sommes-nous?

Question 5:

Quelle est la longitude solaire le 18 juin et le 27 septembre?

Question 6:

Quel est le temps sidéral à midi le 11 avril, le 1er mai et le 11 janvier?

Question 7:

Trouvez le temps sidéral le 13 août et le 22 octobre.

Question 8:

Donnez le temps sidéral exact d'un sujet né le 14 mars d'une certaine année à 15h00' à Québec.

Question 9:

Donnez le temps sidéral exact d'un sujet né le 14 mai 1927 dans la ville de Sherbrooke vers 6h16'.

Question 10:

Donnez le temps sidéral exact d'un natif de Montréal le 1er octobre 1933 à 19h26'.

CHAPITRE 1V

DÉTERMINATION DES CUSPIDES DES MAISONS

Au seuil du quatrième chapitre, vous avez appris à déterminer avec précision l'heure de naissance exacte, le temps sidéral et le temps sidéral exact.

Au cours de ce nouveau chapitre nous allons rechercher les pointes des six premières maisons ou CUSPIDES et serons conduits à déterminer l'ASCENDANT du natif. Si vous vous en souvenez bien, au cours de notre troisième leçon nous avions consulté un tableau qui nous donnait la position du soleil en fonction des différents jours et mois de l'année. Ce tableau nous l'utiliserons encore au cours de ce chapitre, mais il est utile de savoir que le déplacement du soleil est d'environ 59'8" par jour tandis que son déplacement horaire est de 2'27". Nous devons aussi nous rappeler que pour domifier une carte du ciel nous avons besoin d'une table de maisons et d'éphémérides.

Une table de maisons est un document qui permet de trouver les pointes des six premières maisons de la carte du ciel en fonction du Temps Sidéral exact de la naissance. Reportons-nous au tableau VII intitulé «Table des maisons pour le 45° nord». Vous remarquerez que la colonne de gauche est marquée: Temps Sidéral. Ces temps sidéraux vous sont donnés en heure, minutes et secondes. Dans notre étude qui se veut une introduction, nous négligerons les secondes en utilisant ce tableau.

Supposons que le temps sidéral exact d'une personne soit 2h22'. En déplaçant notre doigt le long de la colonne du temps sidéral nous trouverons que pour 2h22', la pointe de la maison 10 (X) se situe à 8° dans le signe du Taureau, la pointe de la 11 à 15° dans le signe des Gémeaux, celle de la 12 à 19°9' dans le Cancer, la pointe de la maison 1 ou ASCENDANT est à 18°55' dans le signe du Lion, celle de la maison 2 à 9°5' dans la Vierge, et enfin la cuspide de la maison 3 se place à 5°3' dans la Balance. Je vous conseille immédiatement de ne pas tenir compte des décimales au cours de cette introduction et de considérer les valeurs de longitude par excès ou par défaut en prenant pour référence 30'. Ainsi vous obtiendrez:

10e maison:	8° Taureau	1ère maison:	19° Lion
11e maison:	15° Gémeaux	2e maison:	9° Vierge
12e maison:	19° Cancer	3e maison:	5° Balance

Lorsque vous aurez trouvé les cuspides des six premières maisons, vous pourrez rechercher les pointes des six dernières qui sont toujours diamétralement opposées aux premières. Ainsi la pointe de la 4e maison est opposée à celle de la 10e, donc:

4e maison:	8° Scorpion	7e maison:	19° Verseau
5e maison:	15° Sagittaire	8e maison:	9° Poissons
6e maison:	19° Capricorne	9e maison:	5° Bélier

Vous aurez réalisé ainsi la DOMIFICATION de la carte du ciel de la personne et déterminé son ascendant qui, dans ce cas précis, sera le Lion à 19°. Il vous faudra encore souligner les axes de cette carte qui sont limités par les pointes des maisons 10, 1, 4 et 7. La pointe de la maison 1 se nomme le MILIEU DU CIEL et vous le matérialiserez par un petit arc couvrant la pointe de la maison; en ce qui concerne l'ascendant, vous tracerez une pointe de flèche et ne marquerez rien aux pointes de la 4e et de la 7e maisons. Au-dessus de la calotte du milieu du ciel vous inscrirez les lettres MC, sur l'ascendant les lettres AS, sur la pointe de la quatrième maison les lettres FC signifiant FOND DU CIEL, et enfin sur la cuspide de la septième maison vous tracerez les lettres DS voulant identifier le DESCENDANT. Ces quatre droites sont importantes, car elles marquent les angles de la carte du ciel qui sont des secteurs révélateurs des événements de la destinée du natif. (Voir figure 7)

À titre d'exemple nous allons domifier la carte du ciel d'une personne née le 14 septembre 1928 dans la ville de Québec à 16h20'.

Latitude 45° N.

Temps sidéral H. M. S.	X	XI	XII	I	II	III
0. 0. 0	♈ 0	♓ 7.2	♐ 17.7	♋ 21.42	♌ 10.0	♍ 1.7
0. 3.40	1	8.2	18.6	22.26	10.8	2.6
0. 7.20	2	9.3	19.6	23. 9	11.5	3.4
0.11. 1	3	10.3	20.5	23.52	12.3	4.3
0.14.41	4	11.4	21.4	24.35	13.0	5.1
0.18.21	5	12.6	22.3	25.19	13.8	6.0
0.22. 2	6	13.6	23.2	26. 2	14.5	6.9
0.25.42	7	14.6	24.1	26.44	15.3	7.7
0.29.23	8	15.6	24.9	27.27	16.0	8.6
0.33. 4	9	16.7	25.8	28.10	16.8	9.4
0.36.45	10	17.7	26.7	28.53	17.5	10.3
0.40.27	11	18.7	27.5	29.36	18.3	11.2
0.44. 8	12	19.7	28.4	♌ 0.18	19.1	12.1
0.47.50	13	20.7	29.3	1. 1	19.8	12.9
0.51.32	14	21.7	♋ 0.1	1.43	20.6	13.8
0.55.14	15	22.8	0.9	2.26	21.4	14.7
0.58.57	16	23.8	1.8	3. 8	22.1	15.5
1. 2.40	17	24.7	2.6	3.51	22.9	16.4
1. 6.23	18	25.7	3.5	4.33	23.6	17.3
1.10. 7	19	26.7	4.3	5.16	24.4	18.2
1.13.51	20	27.7	5.1	5.58	25.2	19.1
1.17.36	21	28.7	6.0	6.41	25.9	20.0
1.21.21	22	29.6	6.8	7.24	26.7	20.8
1.25. 6	23	♊ 0.6	7.6	8. 6	27.5	21.7
1.28.52	24	1.6	8.5	8.49	28.3	22.6
1.32.38	25	2.7	9.2	9.32	29.1	23.5
1.36.26	26	3.7	10.1	10.15	29.8	24.4
1.40.12	27	4.6	10.9	10.58	♍ 0.6	25.3
1.44. 0	28	5.5	11.7	11.41	1.4	26.2
1.47.39	29	6.5	12.5	12.24	2.2	27.1

Latitude 45° N.

Temps sidéral H. M. S.	X	XI	XII	I	II	III
1.51.38	♉ 0	♐ 7.5	♋ 13.4	♌ 13. 7	♍ 3.0	28.0
1.55.27	1	8.5	14.2	13.50	3.8	28.9
1.59.18	2	9.4	15.0	14.33	4.6	29.8
2. 3. 8	3	10.4	15.7	15.17	5.4	♎ 0.8
2. 7. 0	4	11.4	16.6	16. 0	6.2	1.7
2.10.52	5	12.4	17.4	16.44	7.0	2.6
2.14.44	6	13.3	18.2	17.28	7.8	3.5
2.18.37	7	14.3	19.1	18.12	8.6	4.4
2.22.31	8	15.2	19.9	18.55	9.5	5.3
2.26.28	9	16.1	20.7	19.39	10.3	6.2
2.30.21	10	17.1	21.6	20.24	11.1	7.2
2.34.17	11	18.0	22.4	21. 8	11.9	8.1
2.38.14	12	19.0	23.2	21.52	12.7	9.0
2.42.11	13	19.9	24.0	22.37	13.6	10.0
2.46. 9	14	20.8	24.9	23.22	14.4	10.9
2.50. 8	15	21.8	25.7	24. 6	15.3	11.9
2.54. 7	16	22.7	26.5	24.51	16.1	12.8
2.58. 7	17	23.6	27.2	25.37	17.0	13.7
3. 2. 8	18	24.5	28.2	26.22	17.7	14.7
3. 6.10	19	25.5	29.0	27. 7	18.7	15.6
3.10.12	20	26.4	29.8	27.53	19.5	16.6
3.14.16	21	27.4	♌ 0.7	28.38	20.4	17.5
3.18.19	22	28.3	1.5	29.24	21.2	18.4
3.22.24	23	29.2	2.4	♍ 0.10	22.1	19.4
3.26.29	24	♑ 0.2	3.2	0.56	22.9	20.4
3.30.35	25	1.1	4.1	1.43	23.8	21.4
3.34.42	26	2.1	4.8	2.29	24.6	22.3
3.38.49	27	3.0	5.7	3.16	25.5	23.4
3.42.57	28	3.9	6.5	4. 2	26.4	24.3
3.47. 6	29	4.9	7.4	4.49	27.2	25.3

Latitude 45° N.

Temps sidéral (H. M. S.)	X	XI	XII	I	II	III
3.51.16	♎ 0	☉ 5.8	♌ 8.3	♍ 5.36	♍ 28.1	♎ 26.3
3.55.26	1	6.8	9.1	6.23	29.0	27.2
3.59.37	2	7.7	10.0	7.11	♎ 0.8	28.2
4. 3.48	3	8.7	10.8	7.58	1.6	29.2
4. 8. 1	4	9.6	11.7	8.46	2.6	♏ 0.1
4.12.13	5	10.6	12.6	9.34	3.4	1.1
4.16.27	6	11.5	13.4	10.21	4.4	2.1
4.20.41	7	12.5	14.3	11.10	5.2	3.0
4.24.55	8	13.4	15.2	11.58	6.1	4.0
4.29.11	9	14.4	16.1	12.46	7.1	5.0
4.33.26	10	15.3	16.9	13.34	7.9	6.0
4.37.42	11	16.3	17.8	14.23	8.8	6.9
4.41.59	12	17.2	18.7	15.11	9.7	7.9
4.46.16	13	18.2	19.5	16. 0	10.6	8.9
4.50.34	14	19.1	20.4	16.49	11.5	9.9
4.54.52	15	20.1	21.3	17.38	12.6	10.9
4.59.11	16	21.1	22.2	18.27	13.4	11.9
5. 3.30	17	22.0	23.1	19.16	14.4	12.9
5. 7.49	18	23.0	24.0	20. 5	15.2	13.9
5.12. 9	19	23.9	24.9	20.55	16.2	14.9
5.16.29	20	24.9	25.7	21.44	17.0	15.8
5.20.49	21	25.9	26.6	22.33	18.0	16.8
5.25.10	22	26.8	27.5	23.23	18.9	17.8
5.29.30	23	27.8	28.4	24.12	19.8	18.7
5.33.51	24	28.6	29.4	25. 1	20.6	19.6
5.38.12	25	29.7	♍ 0.1	25.51	21.5	20.7
5.42.34	26	♌ 0.6	1.2	26.41	22.6	21.6
5.46.55	27	1.6	2.1	27.31	23.4	22.6
5.51.17	28	2.5	2.9	28.20	24.4	23.6
5.55.38	29	3.6	3.9	29.10		24.5

Latitude 45° N.

Temps sidéral (H. M. S.)	X	XI	XII	I	II	III
6. 0. 0	☉ 0	♌ 4.5	♍ 4.7	♎ 0. 0	♎ 25.3	♏ 25.5
6. 4.22	1	5.5	5.6	0.50	26.1	26.4
6. 8.43	2	6.4	6.6	1.40	27.1	27.5
6.13. 5	3	7.4	7.4	2.29	27.9	28.4
6.17.26	4	8.4	8.5	3.19	28.8	29.4
6.21.47	5	9.4	9.4	4. 9	29.9	0.3
6.26. 9	6	10.4	10.2	4.58	♏ 0.6	1.4
6.30.30	7	11.3	11.2	5.48	1.6	2.2
6.34.50	8	12.2	12.0	6.37	2.5	3.2
6.39.11	9	13.2	13.0	7.27	3.4	♐ 4.1
6.43.31	10	14.2	13.8	8.16	4.3	5.1
6.47.51	11	15.1	14.8	9. 5	5.1	6.1
6.52.11	12	16.1	15.6	9.55	6.0	7.0
6.56.30	13	17.1	16.6	10.44	6.9	8.0
7. 0.49	14	18.1	17.4	11.33	7.8	8.9
7. 5. 8	15	19.1	18.5	12.22	8.7	9.9
7. 9.26	16	20.1	19.4	13.11	9.6	10.9
7.13.44	17	21.1	20.3	14. 0	10.5	11.8
7.18. 1	18	22.1	21.2	14.49	11.3	12.8
7.22.18	19	23.1	22.1	15.37	12.2	13.7
7.26.34	20	24.0	22.9	16.26	13.1	14.7
7.30.49	21	25.0	23.9	17.14	13.9	15.6
7.35. 5	22	26.0	24.8	18. 2	14.8	16.6
7.39.19	23	27.0	25.6	18.50	15.7	17.5
7.43.33	24	27.9	26.6	19.39	16.6	18.5
7.47.47	25	28.9	27.4	20.26	17.4	19.4
7.51.59	26	29.9	28.4	21.14	18.3	20.4
7.56.12	27	♍ 0.8	29.2	22. 2	19.2	21.3
8. 0.23	28	1.8	♎ 0.1	22.49	20.0	22.3
8. 4.34	29	2.8	1.0	23.37	20.9	23.2

Latitude 45° N.

Temps sidéral H. M. S.	X	XI	XII	I	II	III
8. 8.44	♌ 0	♍ 3.7	1.9	≏ 24.24	♏ 21.7	24.2
8.12.54	1	4.7	2.8	25.11	22.6	25.1
8.17. 3	2	5.7	3.6	25.58	23.5	26.1
8.21.11	3	6.7	4.5	26.43	24.2	27.0
8.25.18	4	7.7	5.4	27.31	25.2	27.9
8.29.25	5	8.6	6.2	28.17	25.9	28.9
8.33.31	6	9.6	7.1	29.4	26.8	29.8
8.37.36	7	10.6	7.9	29.50	27.6	♐ 0.8
8.41.41	8	11.6	8.8	♏ 0.36	28.5	1.7
8.45.44	9	12.5	9.6	1.22	29.3	2.6
8.49.48	10	13.4	10.5	2.7	♐ 0.2	3.6
8.53.50	11	14.4	11.3	2.53	1.0	4.5
8.57.52	12	15.3	12.3	3.38	1.8	5.5
9. 1.53	13	16.3	13.0	4.23	2.8	6.4
9. 5.53	14	17.2	13.9	5.9	3.5	7.3
9. 9.52	15	18.1	14.7	5.54	4.3	8.2
9.13.51	16	19.1	15.6	6.38	5.1	9.2
9.17.49	17	20.0	16.4	7.23	6.0	10.1
9.21.46	18	21.0	17.3	8.8	6.8	11.0
9.25.43	19	21.9	18.1	8.52	7.6	12.0
9.29.39	20	22.8	18.9	9.36	8.4	12.9
9.33.34	21	23.8	19.7	10.21	9.3	13.9
9.37.29	22	24.7	20.5	11.5	10.1	14.8
9.41.23	23	25.6	21.4	11.48	10.9	15.7
9.45.16	24	26.5	22.2	12.32	11.8	16.7
9.49. 8	25	27.4	23.0	13.16	12.6	17.6
9.53. 0	26	28.3	23.8	14.0	13.4	18.6
9.56.52	27	29.2	24.6	14.43	14.3	19.6
10. 0.42	28	♎ 0.2	25.4	15.27	15.0	20.6
10. 4.33	29	1.1	26.2	16.10	15.8	21.5

Latitude 45° N.

Temps sidéral H. M. S.	X	XI	XII	I	II	III
10. 8.22	♍ 0	≏ 2.0	≏ 27.0	♏ 16.53	♐ 16.6	♐ 22.5
10.12.11	1	2.9	27.8	17.36	17.5	23.5
10.16. 0	2	3.8	28.6	18.19	18.3	24.5
10.19.47	3	4.7	29.4	19.2	19.1	25.4
10.23.35	4	5.6	♏ 0.2	19.45	19.9	26.3
10.27.22	5	6.5	0.9	20.28	20.8	27.3
10.31. 8	6	7.4	1.7	21.11	21.5	28.4
10.34.54	7	8.3	2.5	21.54	22.4	29.4
10.38.39	8	9.2	3.3	22.36	23.2	♑ 0.4
10.42.24	9	10.0	4.1	23.19	24.0	1.3
10.46. 9	10	10.9	4.8	24.2	24.9	2.3
10.49.53	11	11.8	5.6	24.44	25.7	3.3
10.53.37	12	12.7	6.4	25.27	26.5	4.3
10.57.20	13	13.6	7.1	26.9	27.4	5.3
11. 1. 3	14	14.5	7.9	26.52	28.2	6.2
11. 4.46	15	15.3	8.6	27.34	29.1	7.2
11. 8.28	16	16.2	9.4	28.17	29.9	8.3
11.12.10	17	17.1	10.2	28.59	♑ 0.7	9.3
11.15.52	18	17.9	10.9	29.42	1.6	10.3
11.19.33	19	18.8	11.7	♐ 0.24	2.5	11.3
11.23.15	20	19.7	12.5	1.7	3.3	12.3
11.26.56	21	20.6	13.2	1.50	4.2	13.3
11.30.37	22	21.4	14.0	2.33	5.1	14.4
11.34.18	23	22.3	14.7	3.16	5.9	15.4
11.37.58	24	23.1	15.5	3.58	6.8	16.4
11.41.39	25	24.0	16.2	4.41	7.7	17.4
11.45.19	26	24.9	17.0	5.25	8.6	18.6
11.48.59	27	25.7	17.7	6.8	9.5	19.7
11.52.40	28	26.6	18.5	6.51	10.4	20.7
11.56.20	29	27.4	19.2	7.34	11.4	21.8

41

Latitude 45° N.

Temps sidéral	X	XI	XII	I	II	III
H. M. S.	°	°	°	°	°	°
12. 0. 0	♎ 0	♎ 28.3	♏ 20.0	♐ 8.18	♑ 12.3	♒ 22.8
12. 3.40	1	29.1	20.6	9. 1	13.2	23.8
12. 7.20	2	♏ 0.0	21.5	9.45	14.1	24.9
12.11. 1	3	0.8	22.3	10.29	15.1	26.0
12.14.41	4	1.6	22.9	11.13	16.0	27.2
12.18.21	5	2.5	23.7	11.58	16.9	28.3
12.22. 2	6	3.3	24.5	12.42	17.8	29.4
12.25.42	7	4.2	25.3	13.27	18.8	♓ 0.5
12.29.23	8	5.0	26.0	14.12	19.8	1.6
12.33. 4	9	5.9	26.7	14.57	20.7	2.8
12.36.45	10	6.7	27.5	15.42	21.8	3.9
12.40.27	11	7.5	28.2	16.28	22.8	5.0
12.44. 8	12	8.4	29.0	17.14	23.8	6.1
12.47.50	13	9.2	29.7	18. 0	24.8	7.3
12.51.32	14	10.1	♐ 0.5	18.46	25.8	8.4
12.55.14	15	10.9	1.3	19.33	26.8	9.6
12.58.57	16	11.8	2.1	20.20	27.8	10.7
13. 2.40	17	12.6	2.8	21. 7	28.8	11.8
13. 6.23	18	13.4	3.6	21.56	29.9	13.0
13.10. 7	19	14.3	4.4	22.44	♒ 1.0	14.2
13.13.51	20	15.2	5.2	23.32	2.2	15.4
13.17.36	21	16.0	5.9	24.21	3.3	16.6
13.21.21	22	16.8	6.7	25.10	4.4	17.7
13.25. 6	23	17.7	7.5	26. 0	5.5	18.8
13.28.52	24	18.5	8.3	26.50	6.5	20.1
13.32.38	25	19.5	9.1	27.41	7.8	21.2
13.36.25	26	20.2	9.8	28.32	8.9	22.5
13.40.13	27	21.1	10.6	29.24	10.1	23.8
13.44. 0	28	21.9	11.4	♑ 0.16	11.4	24.9
13.47.49	29	22.8	12.3	1. 9	12.6	26.1

Latitude 45° N.

Temps sidéral	X	XI	XII	I	II	III
H. M. S.	°	°	°	°	°	°
13.51.38	♏ 0	♏ 23.7	♐ 13.1	♑ 2.1	♒ 13.7	♓ 27.3
13.55.27	1	24.5	13.9	2.56	14.9	28.5
13.59.18	2	25.3	14.7	3.50	16.2	29.8
14. 3. 8	3	26.3	15.5	4.46	17.5	♈ 1.0
14. 7. 0	4	27.1	16.3	5.42	18.8	2.2
14.10.52	5	28.0	17.2	6.38	20.1	3.5
14.14.44	6	28.8	18.0	7.35	21.4	4.7
14.18.37	7	29.8	18.8	8.33	22.7	5.9
14.22.31	8	♐ 0.5	19.7	9.32	24.0	7.2
14.26.26	9	1.4	20.5	10.31	25.4	8.5
14.30.21	10	2.2	21.4	11.31	26.7	9.7
14.34.17	11	3.1	22.3	12.32	28.1	10.9
14.38.14	12	4.0	23.1	13.35	29.6	12.1
14.42.11	13	4.9	24.0	14.38	♓ 1.0	13.4
14.46. 9	14	5.8	24.9	15.42	2.4	14.6
14.50. 8	15	6.6	25.8	16.47	3.7	15.9
14.54. 7	16	7.5	26.7	17.53	5.2	17.1
14.58. 7	17	8.4	27.6	19. 0	6.7	18.4
15. 2. 8	18	9.3	28.5	20. 8	8.1	19.6
15. 6.10	19	10.2	29.4	21.17	9.6	21.0
15.10.12	20	11.1	♑ 0.3	22.27	11.1	22.2
15.14.16	21	12.0	1.3	23.39	12.5	23.5
15.18.19	22	12.9	2.2	24.52	14.0	24.7
15.22.24	23	13.8	3.2	26. 6	15.6	25.9
15.26.29	24	14.7	4.1	27.21	17.1	27.2
15.30.35	25	15.6	5.1	28.38	18.6	28.4
15.34.42	26	16.5	6.1	29.56	20.2	29.6
15.38.49	27	17.4	7.1	♒ 1.16	21.8	♉ 0.8
15.42.57	28	18.1	8.1	2.37	23.4	2.1
15.47. 6	29	19.3	9.1	3.59	25.0	3.4

Latitude 45° N.

Temps sidéral	X	XI	XII	I	II	III
H.M.S.						
15.51.16	♏ 0	♉ 20.3	♐ 10.1	♒ 5.23	26.6	♈ 4.6
15.55.26	1	21.1	11.0	6.49	28.2	5.8
15.59.37	2	22.1	12.1	8.17	29.8	7.0
16. 3.48	3	23.0	13.1	9.46	♈ 1.4	8.2
16. 8. 0	4	24.0	14.2	11.17	3.1	9.4
16.12.13	5	24.9	15.3	12.49	4.7	10.7
16.16.27	6	25.9	16.4	14.23	6.3	11.9
16.20.41	7	26.9	17.5	15.59	7.9	13.0
16.24.55	8	27.8	18.6	17.36	9.6	14.3
16.29.11	9	28.8	19.7	19.16	11.1	15.4
16.33.26	10	29.8	20.8	20.57	12.7	16.7
16.37.42	11	♊ 0.8	22.0	22.40	14.5	17.9
16.41.59	12	1.7	23.1	24.25	16.0	19.1
16.46.16	13	2.7	24.3	26.12	17.8	20.3
16.50.34	14	3.7	25.5	28. 0	19.2	21.5
16.54.52	15	4.7	26.7	29.50	20.8	22.6
16.59.11	16	5.7	27.9	♓ 1.42	22.4	23.8
17. 3.30	17	6.8	29.1	3.36	24.0	25.0
17. 7.49	18	7.8	♑ 0.3	5.31	25.5	26.1
17.12. 9	19	8.8	1.6	7.27	27.1	27.2
17.16.29	20	9.8	2.9	9.26	28.7	28.4
17.20.49	21	10.8	4.1	11.25	♉ 0.4	29.6
17.25.10	22	11.9	5.4	13.26	1.9	♉ 0.7
17.29.30	23	12.9	6.7	15.27	3.4	1.9
17.33.51	24	14.0	8.0	17.30	4.9	3.0
17.38.13	25	15.0	9.4	19.33	6.4	4.1
17.42.34	26	16.1	10.8	21.38	7.9	5.2
17.46.55	27	17.2	12.1	23.43	9.4	6.3
17.51.17	28	18.2	13.5	25.48	10.8	7.4
17.55.38	29	19.3	14.9	27.54	12.2	8.5

Latitude 45° N.

Temps sidéral	X	XI	XII	I	II	III
H. M. S.						
18. 0. 0	♐ 0	♐ 20.4	♒ 16.3	♈ 0. 0	13.7	♌ 9.6
18. 4.22	1	21.5	17.8	2. 6	15.1	10.7
18. 8.43	2	22.6	19.2	4.12	16.5	11.8
18.13. 5	3	23.7	20.6	6.17	17.9	12.8
18.17.26	4	24.8	22.1	8.22	19.2	13.9
18.21.47	5	25.9	23.6	10.27	20.6	15.0
18.26. 9	6	27.0	25.1	12.30	22.0	16.0
18.30.30	7	28.1	26.6	14.33	23.3	17.1
18.34.50	8	29.3	28.1	16.34	24.6	18.1
18.39.11	9	♑ 0.4	29.6	18.35	25.9	19.2
18.43.31	10	1.6	♓ 1.3	20.34	27.1	20.2
18.47.51	11	2.8	2.9	22.33	28.4	21.2
18.52.11	12	3.9	4.5	24.29	29.7	22.2
18.56.30	13	5.0	6.0	26.24	♊ 0.9	23.2
19. 0.49	14	6.2	7.6	28.18	2.1	24.3
19. 5. 8	15	7.4	9.2	♉ 0.10	3.3	25.3
19. 9.26	16	8.5	10.8	2. 0	4.5	26.3
19.13.44	17	9.7	12.4	3.48	5.7	27.3
19.18. 1	18	10.9	14.0	5.35	6.9	28.3
19.22.18	19	12.1	15.5	7.20	8.0	29.2
19.26.34	20	13.3	17.3	9. 3	9.2	♍ 0.4
19.30.49	21	14.6	18.9	10.44	10.3	1.5
19.35. 5	22	15.7	20.4	12.24	11.4	2.2
19.39.19	23	17.0	22.1	14. 1	12.5	3.1
19.43.33	24	18.1	23.7	15.37	13.6	4.1
19.47.47	25	19.3	25.3	17.11	14.7	5.1
19.51.59	26	20.6	26.9	18.43	15.8	6.0
19.56.12	27	21.8	28.6	20.14	16.9	7.0
20. 0.23	28	23.0	♈ 0.2	21.43	17.9	7.9
20. 4.34	29	24.2	1.8	23.11	19.0	8.9

43

Latitude 45° N.

Temps sidéral	X	XI	XII	I	II	III
H. M. S.		♒	♈	♈	♓	☉
20. 8.44	0	25.4	3.4	24.37	19.9	9.7
20.12.54	1	26.6	5.0	26. 1	20.9	10.7
20.17. 3	2	27.9	6.6	27.23	21.9	11.6
20.21.11	3	29.2	8.2	28.44	22.9	12.6
20.25.18	4	0.6	9.8	0. 4	23.9	13.5
20.29.25	5	1.6	11.4	1.22	24.9	14.4
20.33.31	6	2.8	12.9	2.39	25.9	15.3
20.37.36	7	4.1	14.4	3.54	26.8	16.2
20.41.41	8	5.3	16.0	5. 8	27.8	17.1
20.45.44	9	6.5	17.5	6.21	28.7	18.0
20.49.48	10	7.8	18.9	7.33	29.7	18.9
20.53.50	11	9.0	20.4	8.43	0.6	19.8
20.57.52	12	10.4	21.9	9.52	1.5	20.7
21. 1.53	13	11.6	23.3	11. 0	2.4	21.6
21. 5.53	14	12.9	24.8	12. 7	3.3	22.5
21. 9.52	15	14.1	26.3	13.13	4.2	23.4
21.13.51	16	15.4	27.6	14.18	5.1	24.2
21.17.49	17	16.6	29.0	15.22	6.0	25.1
21.21.46	18	17.9	0.4	16.25	6.9	26.0
21.25.43	19	19.1	1.9	17.28	7.7	26.9
21.29.39	20	20.3	3.3	18.29	8.6	27.8
21.33.34	21	21.5	4.6	19.29	9.5	28.6
21.37.29	22	22.8	6.0	20.28	10.3	29.5
21.41.23	23	24.1	7.3	21.27	11.2	0.2
21.45.16	24	25.3	8.6	22.25	12.0	1.2
21.49. 8	25	26.5	9.9	23.22	12.8	2.0
21.53. 0	26	27.8	11.2	24.18	13.7	2.9
21.56.52	27	29.0	12.5	25.14	14.5	3.7
22. 0.42	28	0.2	13.8	26.10	15.3	4.7
22. 4.33	29	1.5	15.1	27. 4	16.1	5.5

Latitude 45° N.

X	XI	XII	I	II	III	Temps sidéral
♓	♈					H. M. S.
0	2.7	16.3	27.58	16.9	6.3	22. 8.22
1	3.9	17.4	28.51	17.7	7.2	22.12.11
2	5.1	18.6	29.44	18.6	8.1	22.16. 0
3	6.2	19.9	0.36	19.4	8.9	22.19.47
4	7.5	21.1	1.28	20.2	9.8	22.23.35
5	8.8	22.2	2.19	20.9	10.5	22.27.22
6	9.9	23.4	3.10	21.7	11.5	22.31. 8
7	11.2	24.5	4. 0	22.5	12.3	22.34.54
8	12.3	25.6	4.50	23.3	13.2	22.38.39
9	13.4	26.7	5.39	24.1	14.0	22.42.24
10	14.6	27.8	6.28	24.8	14.8	22.46. 9
11	15.8	29.0	7.16	25.6	15.7	22.49.53
12	17.0	0.1	8. 4	26.4	16.6	22.53.37
13	18.2	1.2	8.53	27.2	17.4	22.57.20
14	19.3	2.2	9.40	27.9	18.2	23. 1. 3
15	20.4	3.2	10.27	28.7	19.1	23. 4.46
16	21.6	4.2	11.14	29.5	19.9	23. 8.28
17	22.7	5.2	12. 0	0.3	20.8	23.12.10
18	23.9	6.2	12.46	1.0	21.6	23.15.52
19	25.0	7.2	13.32	1.8	22.5	23.19.33
20	26.1	8.2	14.18	2.5	23.3	23.23.15
21	27.2	9.3	15. 3	3.3	24.1	23.26.56
22	28.4	10.2	15.48	4.0	25.0	23.30.37
23	29.5	11.2	16.33	4.7	25.8	23.34.18
24	0.6	12.2	17.18	5.5	26.7	23.37.58
25	1.7	13.1	18. 2	6.3	27.5	23.41.39
26	2.8	14.0	18.47	7.1	28.4	23.45.19
27	4.0	14.9	19.31	7.7	29.2	23.48.59
28	5.1	15.9	20.15	8.5	0.0	23.52.40
29	6.2	16.8	20.59	9.4	0.9	23.56.20

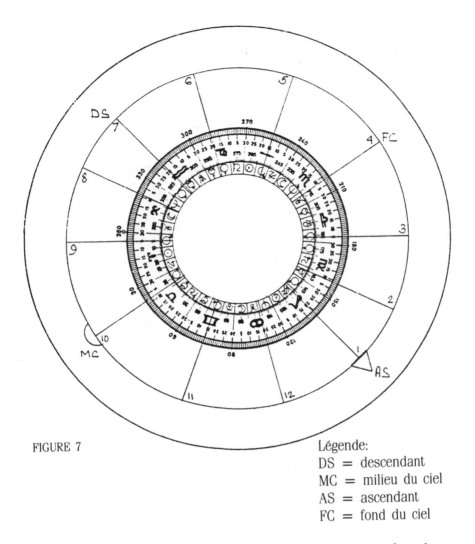

FIGURE 7

Légende:
DS = descendant
MC = milieu du ciel
AS = ascendant
FC = fond du ciel

En 1928, les heures d'été étaient en vigueur; il nous faut donc retrancher une heure à l'heure donnée, ce qui fait 15h20', heure normale de l'est. La ville de Québec se trouve par 71° 14° de longitude ouest ce qui signifie que la différence exacte entre Greenwich et Québec est de 4h45'. Lorsqu'il est 15h20' à Québec il est donc: 15h20' + 5h00 = 20h20', et 20h20' − 4h45' = 19h80' − 4h45' = 15h35'. Nous pouvons dire que l'heure locale de la naissance ou HNE est de 15h35'.

Le 14 septembre, le soleil se trouve à 170°, ce qui nous donne un T.S. midi Greenwich égal à 11h27', et comme notre sujet est né à

45

15h35' ou 3h35' après-midi, son T.S.E. sera de 11h27' + 3h35' = 14h62' ou encore 15h02'. Il ne nous reste plus qu'à chercher dans la table des maisons pour le 45° nord et 15h02' nous trouverons:

10e maison:	18° Scorpion	1ère maison:	20° Capricorne
11e maison:	9° Sagittaire	2e maison:	8° Poissons
12e maison:	29° Sagittaire	3e maison:	20° Bélier

Nous avons donc une Vierge ascendant Capricorne.

QUESTIONNAIRE SUR LE QUATRIÈME CHAPITRE

1) Déterminez l'Ascendant d'un sujet né le 14 novembre 1929 à 17h25 dans la ville de Québec.

2) Trouvez le Milieu du Ciel d'une personne née le 18 février 1933 à Montréal vers 6h25'.

3) Déterminez les cuspides des maisons 2, 6 et 8, d'un sujet né le 22 août dans la ville de Shawinigan à 17h36'.

4) Domifiez la carte du ciel d'une personne née le 31 décembre 1971 à 18h27' dans la ville de Montréal. Utilisez la carte du ciel jointe à ce chapitre.

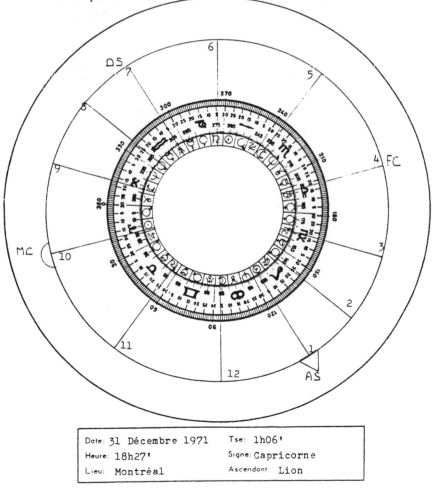

Date: 31 Décembre 1971	Tse: 1h06'
Heure: 18h27'	Signe: Capricorne
Lieu: Montréal	Ascendant: Lion

47

CHAPITRE V

LES MAISONS ASTROLOGIQUES

L'espace céleste est partagé en 12 parties qui ne sont pas obligatoirement égales et qui sont comptées à partir du lever du soleil. La première partie se nomme Ascendant ou 1ère maison; en suivant le mouvement véritable des planètes, on trouve la 2e maison qui se place sous l'horizon et qui suit la première, et ainsi de suite de sorte que la 4e maison est le point précis de minuit, la 7e maison est la pointe de l'Occident, en opposition à l'Ascendant, et enfin la 10e maison ou Milieu du Ciel se trouve à l'intersection du méridien du lieu de naissance et de l'écliptique.

Les 12 maisons astrologiques sont divisées en 4 groupes de trois:

Les maisons Angulaires (1, 4, 7, et 10) très fortes;
Les maisons Succédantes (2, 5, 8 et 11) moyennes;
Les maisons Cadentes (3, 5, 9 et 12) faibles.

Les maisons 10, 11, 12, 1, 2 et 3 sont appelées Orientales et Ascendantes tandis que les maisons 4, 5, 6, 7, 8 et 9 sont dites Occidentales et Descendantes.

On groupe encore les maisons en 4 Quadrants qui sont:

Le 1er Quadrant formé des maisons 1, 2 et 3 qui est Nocturne et Oriental;

Le 2e Quadrant composé des maisons 4, 5 et 6 qui est Nocturne et Occidental;

Le 3e Quadrant comprenant les maisons 7, 8 et 9, Diurne et Occidental;

Enfin le 4e Quadrant des maisons 10, 11 et 12, Diurne et Oriental.

Si la première maison se nomme Ascendant, celle qui lui est opposée est le Descendant, la 10e est le Milieu du Ciel alors que la 4e est le Fond du Ciel.

SIGNIFICATIONS DES MAISONS ASTROLOGIQUES:

MAISON 1:

Elle est formée de tout ce qui concerne le natif lui-même, son corps, sa vie et sa morphologie. On détermine dans cette maison le tempérament du sujet, son apparence, sa personnalité et son caractère. Cette maison est Cardinale et si elle occupe le signe du Bélier, elle domine la tête, le cerveau et le visage. En astrologie mondiale, la maison 1 nous renseigne sur la nation dont il est question, et sur son peuple en particulier.

MAISON 2:

C'est celle qui nous indique ce que sera la fortune du natif, particulièrement elle nous renseigne sur l'argent qu'il pourra acquérir par ses propres efforts et par son travail. Dans le domaine mondial, cette maison est celle des finances du pays.

MAISON 3:

C'est le monde des contacts immédiats. Il faut entendre par là les frères et sœurs, les voisins, les cousins, les collègues, mais aussi les petits déplacements ou voyages de courte distance, c'est-à-dire se faisant à l'intérieur de la province; les rapports établis par correspondance, par téléphone, par voies de communication, les travaux intellectuels, les demandes écrites, les rapports de l'esprit. Sur le plan mondial, cette maison nous indique le niveau intellectuel de la nation, ses moyens de communication, ses transports en commun.

MAISON 4:

Elle contient tout ce qui se rapporte au père du sujet et au foyer où il a passé son enfance. C'est le monde familial, la maison natale, puis en fonction de l'âge, le chez-soi avec son confort. Cette maison nous renseigne aussi sur les éventuelles transactions immobilières, les changements de domicile, la fin de certaines entreprises et le début de nouvelles, la fin de la vie. En astrologie mondiale, cette maison est surtout réservée au domaine de l'agri-culture.

MAISON 5:

On apprend par cette maison les capacités créatives du sujet qu'elles soient artistiques ou physiques. Nous pourrons aussi déterminer les activités sentimentales extra-conjugales, les enfants, les chances et dispositions sur le plan des spéculations et des jeux de hasard, les plaisirs, les fêtes, les récréations du natif. Dans le domaine de l'astrologie mondiale, cette maison renseigne sur les mœurs, les enfants et le système scolaire, le monde artistique du pays.

MAISON 6:

Elle est celle des maladies aiguës et c'est pourquoi on la nomme: «l'hôpital du zodiaque». Cette maison donne des renseignements sur les corvées quotidiennes, les contraintes du travail, les luttes qui jalonnent la vie, les rapports avec les subalternes et les subordonnés, le monde domestique, les relations avec les servi-teurs. C'est la maison des petits animaux, du bétail, des locataires et des fermiers. En astrologie mondiale, elle représente l'hygiène, les usines, l'armée et les ateliers.

MAISON 7:

C'est la maison du conjoint, des unions et des associations senti-mentales ou commerciales. On y trouve les collaborateurs, les contrats de toutes sortes, les procès, les luttes, les adversaires déclarés, la séparation et le divorce. D'une manière plus générale, cette maison est celle de la complémentarité ou de l'opposé. Dans le domaine mondial, la maison 7 concerne les traités, la diplomatie, la politique extérieure et la guerre.

MAISON 8:

Elle renseigne sur la mort du natif ou sur les héritages que peuvent lui rapporter les décès d'autres personnes. C'est le monde des crises, des destructions, des renaissances, de la sexualité, mais aussi de l'argent du conjoint. On y classe le secteur gouvernemental, les rentes, les primes d'assurance, les impôts et leurs remboursements. Sur le plan mondial, elle nous informe sur les accords financiers ou économiques avec les autres pays, les impôts.

MAISON 9:

Elle représente le monde du lointain, des grands voyages, de l'étranger. C'est la maison de la philosophie, de la religion et des études supérieures. En introversion, elle renseigne sur les acquisitions de l'esprit et de l'âme. Dans le domaine mondial, elle indique l'état des relations internationales, l'expansion commerciale, les colonies, les expéditions lointaines, le clergé et l'université.

MAISON 10:

C'est la maison de la réussite sociale et professionnelle du natif. On y trouve les chances de réaliser une grande carrière, d'obtenir des honneurs, une belle réputation et d'atteindre la popularité. C'est aussi la mère du sujet et les rapports de ce dernier avec elle. En astrologie mondiale, la maison 10 est représentative de la nation et du pouvoir, du gouvernement et des dirigeants.

MAISON 11:

C'est dans cette maison que l'on peut juger des amis, des protections et des projets du sujet. C'est le monde des affinités, celui du «piston», des secours que l'on peut espérer. Dans le secteur mondial, cette maison nous renseigne sur les alliés, les groupements civiques et les syndicats.

MAISON 12:

On l'appelle aussi «l'enfer du zodiaque». Elle représente les épreuves de la vie, les maladies, la captivité, l'emprisonnement, les exils, les retraites, les asiles, les inimitiés cachées, les persécutions, les calomnies et les trahisons. On y décèle les maladies chroniques, les échecs et la pauvreté. En astrologie mondiale, elle détermine le paupérisme, les prisons, les hôpitaux, les complots, l'espionnage.

QUESTIONNAIRE SUR LE CINQUIÈME CHAPITRE

Question 1:

Dressez la carte du ciel d'un sujet né le 26 juin 1919 à Charlesbourg au Québec vers 7h00.

Question 2:

Domifiez la carte du ciel d'une personne née le 1er novembre 1950 à St-Lambert vers 21h20'.

Question 3:

Sans vous servir du chapitre, dites à quelles maisons nous devons nous reporter pour être renseignés sur:
1) les frères, les sœurs, les demandes écrites.
2) les héritages et les primes d'assurance.

Question 4:

Quelle est la maison que l'on appelle «l'enfer du zodiaque» et quelle est sa signification?

CHAPITRE VI

LES PLANÈTES, LES ORBES DE LUMIÈRE ET LES ASPECTS

La suite logique à l'étude des maisons astrologiques concerne les astres du système solaire. Pour analyser correctement une carte du ciel, nous devons y placer les planètes, les luminaires et les autres éléments essentiels. Pour ce faire, nous utilisons des documents appelés ÉPHÉMÉRIDES. Ces documents, que nous pouvons nous procurer dans les librairies spécialisées, se présentent comme le montre le tableau VIII.

En astrologie, on emploie différents symboles ou caractères qui servent à identifier les planètes, les luminaires et les autres éléments de la carte du ciel. Le système solaire se compose de deux LUMINAIRES qui sont le SOLEIL et la LUNE et de sept planètes, dont deux sont INFÉRIEURES et cinq SUPÉRIEURES. Les planètes inférieures sont VÉNUS et MERCURE, les supérieures sont MARS, JUPITER, SATURNE, URANUS et NEPTUNE. On trouve encore deux éléments particuliers qui sont les NŒUDS ou TÊTE DU DRAGON lorsque nous avons affaire au nœud ascendant et QUEUE DU DRAGON lorsque nous utilisons le nœud descendant. Enfin, nous devons aussi savoir qu'il existe un point fictif que l'on appelle la PART DE FORTUNE, que nous déterminerons ultérieurement. Les symboles de tous ces éléments sont importants et il est nécessaire de les connaître par cœur. (Voir figure 8)

Afin de placer les éléments de la carte du ciel à l'endroit où ils se trouvent au moment de la naissance, on utilisera les éphémérides; celles du tableau VIII nous renseignent sur les années 1933 et 1934. Imaginons que nous devions ériger une carte du ciel pour le 13 mai 1933. Les éphémérides nous indiquent qu'à midi G.M.T, le soleil se trouvait à 52°15' dans le zodiaque, tandis que la lune était à 282°46', Neptune à 157°24', Uranus à 25°1', Saturne à 316°14', Jupiter à 163°18', Mars à 156°4', Vénus à 58°1' et Mercure à 35°39'. Dans la dernière colonne, nous trouvons le temps sidéral du jour pour midi G.M.T.

Figure 8

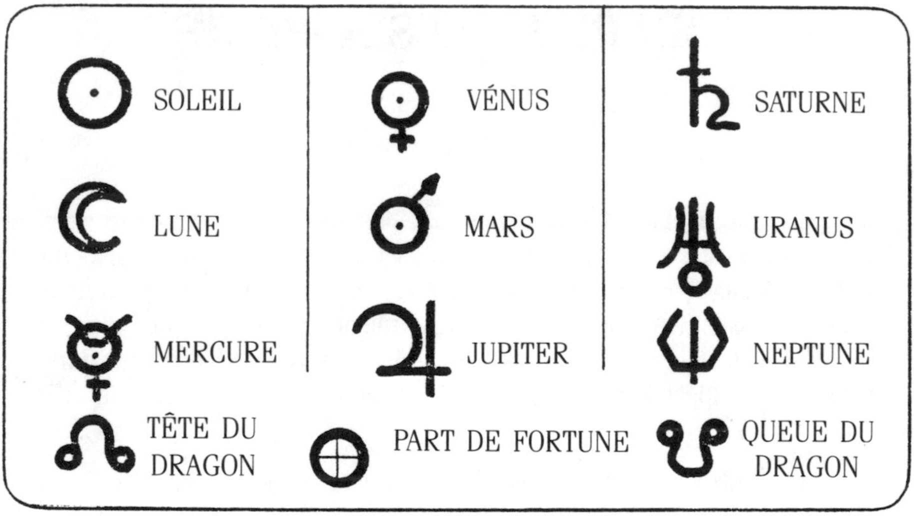

☉ SOLEIL	♀ VÉNUS	♄ SATURNE
☽ LUNE	♂ MARS	♅ URANUS
☿ MERCURE	♃ JUPITER	♆ NEPTUNE
☊ TÊTE DU DRAGON	⊕ PART DE FORTUNE	☋ QUEUE DU DRAGON

TABLEAU VIII: EXEMPLES D'ÉPHÉMÉRIDES
1933

JOURS	☉	☾	Ψ	♅	♄	♃	♂	♀	☿	T.S
Janvier 1	280'39	345'40	160° 5	19°27	304° 6	173'12	168° 6	253'55	260 21	18 42
7	286'45	58 21	160° 0	19°29	304'47	173'16	169'12	261'23	268'40	19 6
13	292'52	131'54	159'54	19°33	305'29	173'13	169'56	268'52	277'27	19 30
19	298'59	212° 5	159 48	19°39	306'12	173° 3	170'18	276'22	286'35	19.53
25	305° 5	298'50	159'40	19°47	306'55	172'47	170° 9	283'51	296° 3	20 17
31	311'11	18'31	159'32	19°56	307'38	172'24	169'35	291'21	305'54	20.41
Février 1	312'12	30'40	159'31	19°58	307'45	172'19	169'26	292'36	307'35	20.44
7	318'17	102'38	159 22	20° 9	308'28	171'49	168'18	300° 5	317'55	21. 8
13	324 21	181° 9	159'12	20'22	309'10	171'14	166'43	307'35	328'42	21 32
19	330'24	265'38	159° 3	20'38	309'52	170'35	164'46	315° 4	339'48	21 55
25	336'27	348'17	158'53	20'51	310'32	169'51	162'32	322'34	350'40	22 19
28	339'27	26'18	158'48	20'59	310'52	169'28	161'21	326'18	355'40	22 31
Mars 1	340'28	38'25	158'46	21° 2	310'59	169'21	160'58	327'33	357'13	22.35
7	348'28	110'28	158'38	21'19	311'37	168'35	158'36	335° 2	4'35	22.59
13	352'28	190'35	158'28	21'37	312'15	167'48	156'23	342'30	7'27	23 22
19	358'26	276'34	158'17	21'56	312'50	167° 2	154'25	349'58	5'21	23.46
25	4'23	356'54	158° 8	22'16	313'23	166'18	152'51	357'25	0'21	0. 9
31	10'19	70'17	157'59	22'38	313'54	165'37	151'43	4'53	359° 1	0.33
Avril 1	11'18	82° 9	157'58	22'40	313'59	165'30	151'34	6° 7	355'34	0 37
7	17'13	156'55	157'50	23° 0	314'27	164'54	150'59	13'34	354'44	1. 1
13	23° 6	243'47	157'43	23'21	314'52	164'23	150'52	20'59	357° 0	1.24
19	28'58	327'52	157'38	23'41	315'15	163'57	151'11	28'25	1'40	1 48
25	34'49	42'52	157'33	24° 2	315'35	163'38	151'54	35'50	8'10	2.12
30	39'40	102'23	157'29	24'18	315'48	163'28	152'46	42° 0	14'41	2.31
Mai 1	40'39	114'23	157'29	24'22	315'51	163'25	152'59	43'14	16° 6	2 35
7	46'27	192'50	157'26	24'42	316° 4	163'18	154'23	50'38	25'17	2 59
13	52'15	282'46	157'24	25° 1	316'14	163'18	156° 4	58° 1	35'39	3 23
19	58° 2	3'14	157'24	25'19	316'20	163'25	158° 0	65'24	47'12	3 48
25	63'48	75'34	157'25	25'37	316'23	163'38	160° 9	72'47	59'48	4 10
31	69'33	147'50	157'27	25'53	316'22	163'57	162'31	80° 9	72'57	4 34
Juin 1	70'31	160'34	157'27	25'56	316'21	164° 1	162'58	81'23	75° 8	4 38
7	76'15	248° 1	157'30	26'12	316'16	164'27	165'25	88'44	87'49	5. 1
13	81'59	334° 2	157'35	26'26	316° 8	164'59	168'12	96° 5	99'21	5 25
19	87'43	48'53	157'40	26'39	315'56	165'35	171° 3	103'26	109'27	5 49
25	93'27	120'21	157'47	26'50	315'42	166'17	174° 2	110'46	118° 3	6 12
30	99'13	183'12	157'53	26'58	315'27	166'55	176'36	116'53	123'59	6.32
Juillet 1	99'10	196'42	157'54	27° 0	315'24	167° 3	177° 7	118° 6	125° 1	6 36
7	104'53	284'59	158° 3	27° 8	315° 4	167'54	180'19	125'26	130° 7	7. 0
13	110'36	8'49	158'12	27'15	314'42	168'48	183'37	132'44	132'58	7.23
19	116'20	81'22	158'22	27'20	314'18	169'46	186'59	140° 3	133° 1	7 47
25	122° 3	154'24	158'33	27'23	313'52	170'47	190'27	147'20	130'20	8 10
31	127'48	234'58	158'45	27'25	313'26	171'51	194° 0	154'37	126° 3	8 34
Août 1	128'45	249'23	158'47	27'25	313'22	172° 2	194'36	155'50	125'21	8 38
7	134'30	336'55	158'59	27'24	312'55	173° 9	198'13	163° 6	122'22	9. 2
13	140'15	64° 2	159'11	27'22	312'28	174'18	201'55	170'21	122'52	9 25
19	146° 1	125'56	159'24	27'18	312° 2	175'30	205'41	177'35	127'33	9 49
25	151'48	203'51	159'37	27'13	311'37	176'43	209'31	184'48	135'58	10 13
31	157'36	288'38	159'51	27° 5	311'13	177'57	213'24	192° 0	146'41	10 36
Septembre 1	158'34	302'59	159'53	27° 4	311'10	178'10	214° 3	193'11	148'36	10 40
7	164'23	24'55	160° 6	26'55	310'48	179'26	218° 0	200'21	160'13	11. 4
13	170'13	97'42	160'19	26'45	310'30	180'43	222° 1	207'29	171'35	11 28
19	176° 5	172'47	160'33	26'33	310'14	182° 0	226° 5	214'38	182'22	11 51
25	181'57	256'44	160 45	26'21	310° 1	183'18	230'13	221'41	192'34	12 15
30	186'52	326'53	160'56	26'10	309'53	184'23	233'41	227'33	200'37	12 35
Octobre 1	187'51	340'31	160'58	26° 7	309'52	184'36	234'23	228'44	202'11	12 39
7	193'45	57'49	161'10	25'53	309'46	185'53	238'36	235'44	211'18	13. 2
13	199'41	129'34	161'21	25'39	309'43	187'11	242'52	242'41	219 55	13 26
19	205'39	209° 7	161'32	25'24	309'49	188'27	247'11	249'35	227'59	13 50
25	211'37	296° 1	161'42	25° 9	309'57	189'43	251'33	259'25	235'14	14 13
31	217'37	16'18	161'50	24'55	309'57	190'57	255'57	263'10	241° 8	14 37
Novembre 1	218'37	29° 0	161'52	24'53	309'59	191° 9	256'42	264'17	241'55	14 41
7	224'38	101'48	162° 0	24'39	310'12	192'22	261° 9	270'55	244'42	15. 4
13	230'40	175'26	162° 7	24'26	310'28	193'32	265'38	277'28	242'40	15 28
19	236'43	262'14	162'12	24'13	310'47	199'40	270° 9	283'48	235'31	15 52
25	242'47	347'22	162'17	24° 2	311'10	195'46	274'43	290° 0	229'22	16 15
30	247'50	50'30	162'20	23'54	311'31	196'38	278'32	294'59	229° 2	16 35
Décembre 1	248'51	62'38	162'20	23'53	311'35	196'48	279'18	295'57	229'28	16 39
7	254'56	133'56	162'22	23'44	312° 4	197'48	283'56	301'37	234'26	17. 3
13	261° 2	210'54	162'23	23'38	312'35	193'43	288'34	308'55	241'44	17 28
19	267° 9	300'51	162'23	23'33	313° 8	199'34	293'14	311'46	250° 8	17 50
25	273'16	22'51	162'21	23'29	313'43	200'21	297'56	316° 2	258'58	18 14
31	279'23	96'22	162'19	23'28	314'20	201° 3	302'38	319'32	268° 3	18 37

1934

JOURS	☉	☾	♆	♅	♄	♃	♂	♀	☿	T.S.
Janvier 1	280°24	107°12	162°18	23°28	314°27	201° 9	303°25	320° 2	269°35	18 42
7	286°31	179°49	162°14	23 29	315° 6	201°45	308° 8	322°24	278°55	19 5
13	292°38	263°18	162° 9	23°31	315°48	202°15	312°52	323°34	288°29	19 29
19	298°44	352°18	162° 3	23°36	316°28	202°39	317°37	323°18	298°21	19 53
25	304 51	68°32	161°55	23°42	317 10	202°56	322°22	321°33	308°33	20 16
31	310°56	139°53	161°48	23°50	317°53	203° 7	327° 6	318°32	319° 3	20 40
Février 1	311°57	152° 2	161°46	23°52	318°	203° 9	327°54	817°57	320°49	20.44
7	318° 2	229°26	161°38	24° 2	318°44	203°12	332°38	314°16	331°21	21. 7
13	324° 8	316°47	161 28	24°14	319°27	203° 8	337°23	310 57	341° 3	21.31
19	330°10	40° 9	161°19	24 27	320°10	202°57	342° 6	308°44	348° 9	21.55
25	336°12	112°28	161° 9	24°41	320°53	202 40	346°49	307°56	350°25	22.18
28	339°13	148°35	161° 4	24°49	321°14	202°29	349°10	308° 5	349°23	22.30
Mars 1	340°13	160°58	161° 2	24°52	321 21	202°21	349 58	308°13	348°45	22 34
7	346°14	240° 1	160°52	25° 8	322° 2	201°58	354°39	309°44	343°13	22 58
13	352°13	325°32	160°42	25°26	322°42	201°25	359°20	312°22	338° 6	23 21
19	358°12	48°	160°33	25°44	323°21	200°48	3°59	315°54	336°20	23.45
25	4° 9	120°28	160°23	26° 3	323°59	200° 8	8°37	320° 7	338° 3	0. 9
31	10° 5	195°36	160°15	26°23	324°34	199°22	13°13	324°53	342°24	0.32
Avril 1	11° 4	209° 8	160°13	26°27	324°40	199°15	13 59	325°44	343°19	0 36
7	16°58	293° 6	160° 5	26°47	325°13	198°29	18°34	331°	349°48	1
13	22°52	18°40	159°58	27° 7	325°44	197°43	23° 7	336°37	357°37	1 24
19	28°44	92°46	159°52	27°28	326°12	196°57	27°39	342°29	6°33	1.47
25	34°35	164°47	159°47	27°49	326°38	196°14	32° 8	348°34	16°32	2.11
30	39°26	232°13	159°43	28° 6	326°57	195°40	35°52	363°56	25°37	2.31
Mai 1	40°25	246°35	159°42	28° 9	327° 1	195°34	36°36	354°49	27°32	2.35
7	46°14	332° 3	159°39	28°29	327°21	194°58	41° 2	1°13	39°33	2 58
13	52° 2	51°47	159°37	28°49	327°38	194°26	45°28	7°44	52°24	3 22
19	57°49	124°28	159°36	29° 8	327°51	194°	49°49	14°21	65°26	3.46
25	63°35	198°44	159°36	29°26	328° 1	193°40	54° 9	21° 3	77°44	4. 9
31	69°20	285°20	159°38	29°44	328° 8	193°26	58°27	27°49	88°38	4 33
Juin 1	70°17	300° 3	159°38	29°46	328° 9	193°24	59°10	28°57	90°15	4.37
7	76° 2	22°50	159°41	30° 3	328°11	193°17	63°26	35°48	99° 9	5.
13	81°46	97°22	159°45	30°18	328°10	193°17	67°40	42°42	106°11	5.24
19	87°30	168°40	159°50	30°32	328° 5	193°24	71°53	49°38	111° 9	5 48
25	93°13	249°14	159°56	30°44	327°57	193 36	76° 3	56°37	113°43	6 11
30	97°59	324° 9	160° 2	30°53	327°48	193°52	79°30	62°28	113°48	6 31
Juillet 1	98°57	338°37	160°	30°55	327°46	193°55	80°12	63°38	113°35	6 35
7	104°40	57°59	160°10	31° 5	327°31	194°20	84°18	70°42	111°	6 59
13	110°23	129°45	160°20	31°13	327°14	194°50	88°23	77°48	107°14	7 22
19	116° 7	202°40	160°30	31°19	326 54	195°26	92°26	84°55	104°30	7 46
25	121°50	287°30	160°40	31°24	326°32	196° 7	96°27	92° 5	104°34	8 10
31	127°34	15°47	160°52	31°26	326° 8	196°52	100°27	99°18	108°10	8 33
Août 1	128°32	29°13	160°54	31°27	326° 4	197°	101° 7	100°29	109° 7	8 37
7	134°17	103°14	161° 5	31°27	325°38	197°50	105° 4	107°42	116°42	9 1
13	140° 2	174°37	161°18	31°26	323 11	198 45	109°	114°58	127°	9 25
19	145°48	252°33	161°31	31°24	324°44	199°43	112°54	122°15	138°47	9 48
25	151°35	341° 9	161°44	31°19	324°17	200°44	116°48	129°34	150°49	10 12
31	157°23	63°42	161°57	31°13	323 51	201°48	120°36	136°55	162°22	10 36
Septembre 1	158°21	76° 4	161°59	31°12	323°46	201°59	121°14	138° 8	164°14	10 40
7	164°10	147°32	162 13	31° 4	323°21	203° 6	125° 3	145°31	174°57	11 3
13	170°	222°16	162 26	30°55	322 56	204°16	128 49	152°55	184°58	11 27
19	175°51	305°23	162°37	30°44	322°37	205°28	132 34	160°20	194°21	11 50
25	181 43	32°26	162°52	30°32	322°18	206°41	136°16	167°47	203° 6	12 14
30	186°38	96°24	163° 3	30°22	322° 4	207°44	139°20	174°	209°51	12.34
Octobre 1	187°38	108°19	163° 5	30°19	322° 1	207°56	139 57	175°14	211° 9	12 38
7	193°31	180°21	163°17	30° 6	321°48	209°13	143°38	182 43	218°22	13 1
13	199°28	259°36	163 28	29°51	321°39	210°30	147°12	190 13	224°21	13 25
19	205 25	344°13	163°39	29°37	321°32	211°48	150 46	197°43	228°12	13 49
25	211°23	67° 3	163°49	29°22	321°30	213° 7	154°18	205°14	228°24	14 12
31	217°23	139°49	163 59	29° 8	321°31	214°25	157°47	212°45	223°30	14 36
Novembre 1	218°23	151°41	164°	29° 5	321°32	214°38	158°22	214°	222°16	14 40
7	224°24	228°13	164° 8	28°51	321°36	215°57	161 47	221°32	215° 8	15 4
13	230°26	312°16	164 16	28°37	321°46	217°15	165°10	229° 4	213° 5	15 27
19	236 28	36°48	164°22	28°24	321°59	218°32	168°29	230°37	217° 2	15 51
25	242°32	112° 6	164°27	28°12	322°15	219°48	171°44	244° 9	224°15	16 15
30	247 36	171°30	164°30	28° 3	322°31	220 51	174°24	250°26	231°21	16 34
Décembre 1	248°37	183°48	164°31	28° 2	322 35	221° 3	174°55	251°42	232°49	16 38
7	254 42	265° 4	164 33	27°52	322 58	222°16	178° 2	259 14	241°52	17 2
13	260°48	351°25	164°35	27°44	323°24	223°28	181° 3	266°47	251° 8	17 26
19	266 54	71°10	164°36	27°38	323°52	224 37	183 59	274°20	260°24	17 49
25	273° 1	143 51	164°34	27°33	324°24	225 43	186°48	281°52	269°49	18 13
31	279° 8	217°13	164°32	27°31	324 57	226 46	189 29	289°24	279°22	18 37

Figure 10

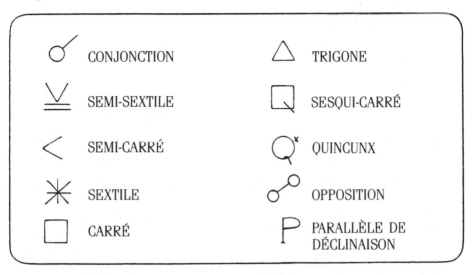

Munis de ces renseignements, nous pouvons maintenant indiquer la position des astres sur la carte du ciel en plaçant chaque symbole à la longitude où il se trouve au moment de la naissance. Par exemple, le soleil sera à 52° ou 22° dans le signe du Taureau, Neptune sera à 157° sur l'écliptique ou à 7° du signe de la Vierge, Uranus à 25° dans le Bélier, Saturne à 316° ou encore 16° dans le Verseau, Jupiter à 13° de la Vierge, tout près de Mars qui se placera à 6° du même signe, Vénus près du soleil à 28° du Taureau et enfin Mercure à 6° aussi dans le signe du Taureau. D'une manière générale, on ne tient pas compte des minutes de longitude pour situer les planètes et l'on place ces dernières au degré près par défaut pour les valeurs inférieures à 30' ou par excès pour les valeurs supérieures à 30'. Seule la Lune demande une correction particulière, car sa course en 24 heures peut varier de 11 à 15°. Nous devrons faire une extrapolation en fonction de l'heure de naissance G.M.T. et d'un déplacement horaire moyen de 34'55''. La figure 9 nous montre les symboles situés sur la carte du ciel pour la date du 13 mai 1933.

Il est encore utile de savoir que les agents d'influence que sont les planètes se divisent en deux catégories:

Les planètes SUPÉRIEURES: Mars, Jupiter, Saturne, Uranus et Neptune.

Les planètes INFÉRIEURES: Mercure et Vénus.
Le soleil et la lune ne sont pas des planètes mais des LUMINAIRES.
Les astres peuvent encore être:
MASCULINS: Uranus, Saturne, Jupiter, Mars et le Soleil
FÉMININS: Neptune, Vénus et la Lune.

Mercure est CONVERTIBLE, c'est-à-dire qu'il prend le genre de l'astre avec lequel il est en configuration. Ainsi, il devient féminin lorsqu'il est en aspect avec Vénus, Neptune ou la Lune, et masculin avec les autres astres. Nous aurons l'occasion d'approfondir cet aspect de l'étude dans un chapitre ultérieur.

LES ASPECTS PLANÉTAIRES:

Les aspects planétaires que l'on appelle parfois CONFIGURATIONS se divisent en deux catégories, les aspects MAJEURS et les aspects MINEURS.

Les aspects MAJEURS sont:

La CONJONCTION qui se produit lorsque deux ou plusieurs astres se trouvent dans le même degré d'un signe.
Le SEMI-SEXTILE lorsque ces éléments sont distants de 30°
Le SEXTILE lorsque ces éléments sont distants de 60°
Le CARRÉ lorsque ces éléments sont distants de 90°
Le TRIGONE lorsque ces éléments sont distants de 120°
Le SESQUI-CARRÉ lorsque ces éléments sont distants de 135°
Le QUINCUNX lorsque ces éléments sont distants de 150°
L'OPPOSITION lorsque ces éléments sont distants de 180°
Le PARALLÈLE de DÉCLINAISON ou ANTISCE qui se produit quand deux ou plusieurs planètes se trouvent à une égale distance de l'équateur céleste.

Les aspects MINEURS qui ont été établis par Kepler sont:

Le VIGINTILE   18° d'écart entre 2 éléments
Le QUINDÉCILE 24° d'écart entre 2 éléments
Le DÉCILE   24° d'écart entre 2 éléments
Le QUINTILE   72° d'écart entre 2 éléments
Le TREDÉCILE 108° d'écart entre 2 éléments
Le BIQUINTILE 144° d'écart entre 2 éléments

Figure 9

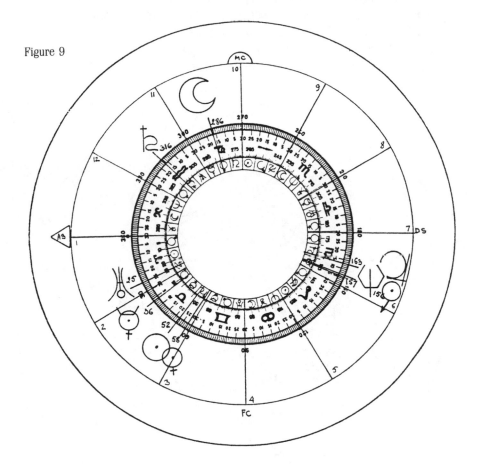

du 13 mai 1933.

Les aspects majeurs qui sont les plus employés sont représentés par des symboles se trouvant à la figure 10. Ils peuvent être BÉNÉ-FIQUES ou MALÉFIQUES. La conjonction sera bénéfique lorsqu'elle sera réalisée par des éléments bénéfiques et elle deviendra maléfique dans le cas contraire. Il en est de même pour le quincunx et le parallèle de déclinaison. Le semi-sextile, le sextile et le trigone sont réputés harmoniques ou bénéfiques tandis que le semi-carré, le carré, le sesqui-carré et l'opposition sont maléfiques ou dissonants.

On représente les divers aspects en reliant sur la carte du ciel les astres en configuration. Les aspects harmoniques se tracent en traits pleins de couleur bleu, tandis que les aspects dissonants le sont en tirets rouges. En ce qui concerne la conjonction, on la représente par des hachures reliant les planètes participantes. (Voir figure 11).

Figure 11

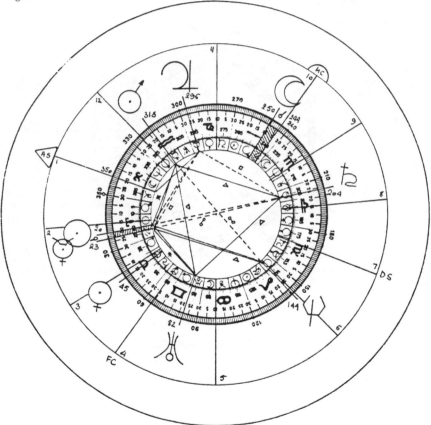

LES ORBES DE LUMIÈRE:

Il arrive fréquemment que deux astres qui sont en aspects ne soient pas exactement situés au même nombre de degrés dans leur signe respectif. Par exemple, un Soleil étant au 12e degré du Scorpion et la Lune au 15e du même signe, les deux luminaires seront en conjonction car leurs ORBES de LUMIÈRE se confondent. C'est la raison pour laquelle il est nécessaire d'indiquer ici l'étendue des orbes de lumière des astres. Suivant l'importance des planètes et des luminaires, les orbes de lumière peuvent varier de 7 à 17° d'arc, mais pour faciliter la compréhension de ce livre, nous limiterons tous les aspects formés par les astres à 6° de part et d'autre de la valeur exacte d'un aspect. Ainsi, supposons Vénus à 100° sur l'écliptique ou enore à 10° du signe du Cancer, elle formera un sextile avec toutes les planètes ou autre élément de la carte du ciel se trouvant entre 154° et 166°. De même, elle sera en Carré avec toute planète se trouvant entre 184° et 196°.

Lorsque deux éléments sont en conjonction par orbe de lumière, on matérialise cette conjonction par des hachures tracées entre les deux positions des éléments. À titre d'information, l'Ascendant et le Milieu du Ciel participent aux aspects tout comme les planètes, et les luminaires et les orbes de lumière de 6° sont aussi applicables à ces deux cuspides particulières.

La figure 12, ci-contre, nous montre Mercure à 2° dans un signe, le Soleil à 11° et Mars à 21°. Les orbes de lumière matérialisés par les cercles entourant les planètes se confondent en deux endroits. Mercure sera donc en conjonction avec le Soleil, lequel sera en conjonction avec Mars, mais il est bon de savoir que dans ce cas-ci, nous aurons aussi une conjonction Mercure-Mars par effet de transmission du Soleil.

Figure 12

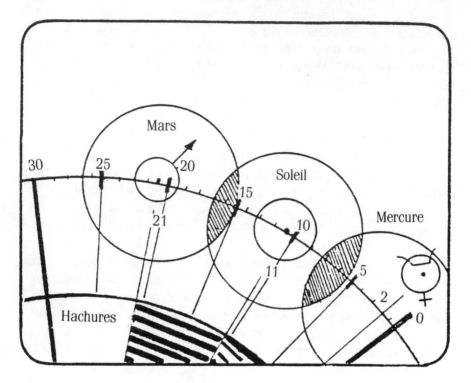

QUESTIONNAIRE SUR LE SIXIÈME CHAPITRE

Question 1:

Tracez la carte du ciel natale d'une personne née le 13 août 1933 et placez-y les planètes.

Question 2:

Trouvez les aspects harmoniques d'une planète située à 200° dans le zodiaque et qui représente 20° du signe de la Balance.

Question 3:

Trouvez les aspects dissonants exacts d'une planète située à 145° sur l'écliptique ou encore à 25° du signe du Lion.

Question 4:

Où se trouvent les sextiles et l'opposition d'une planète dont la longitude est de 230° ou 20° du Scorpion.

Question 5:

Tracez la carte du ciel natale d'un sujet né le 5 septembre 1934 à Montréal vers 18h30'. Faites figurer les aspects des planètes de l'Ascendant et du Milieu du Ciel en tenant compte des orbes de 6° de part et d'autre de la valeur exacte.

CHAPITRE VII

INTERPRÉTATION PSYCHOLOGIQUE: LES STRUCTURES GÉNÉRALES

Nous allons maintenant aborder la phase la plus délicate de ce livre, l'interprétation. Vous serez sans doute embarrassés face à la grande quantité de symboles, d'aspects, de planètes, de signes et vous vous demanderez par quel moyen affronter le problème. Je vous suggère, dans ce chapitre et dans ceux qui suivront, une méthode rationnelle qui a fait ses preuves: celle de Herbert von Klöckler, car elle me semble logique, pratique et dénuée d'ambiguïté. Cette partie du livre traitera donc de la psychologie du natif, tirée de l'appréciation des grands groupements planétaires, des maisons, des signes et des aspects.

De façon tout à fait indépendante des significations particulières reliées à chaque signe du zodiaque pris individuellement, les signes s'apparentent entre eux par certaines caractéristiques et cela permet de les classer en quatre groupes principaux:

Le groupement SAISONNIER

Le groupement BINAIRE

Le groupement TERNAIRE

Le groupement QUATERNAIRE

Si les trois premiers groupements se rapportent aux signes, le quatrième fera une analogie entre les maisons et les signes.

LE GROUPEMENT SAISONNIER:

Il englobe les signes PRINTEMPS-ÉTÉ qui regroupent les Bélier, Taureau, Gémeaux, Cancer, Lion et Vierge. En effet durant le transit du Soleil au travers de ces signes, nous sommes à l'époque de l'année durant laquelle s'écoulent le printemps et l'été. La nature renaît après un long sommeil, les fleurs éclosent à nouveau, les oiseaux chantent, les gens retournent à leur jardin, les piscines se remplissent de baigneurs, c'est une EXTRAVERSION PROFONDE qui se manifeste partout. Analogiquement à ces états de faits, le thème natal exprimera une tendance profonde et innée vers tout ce qui est extraversion. Le psychisme de l'individu le conduira à aimer la nature, à avoir le goût des expériences enrichissantes et nous retiendrons de son comportement des inclinations marquées pour le sens pratique, l'objectivité et le réalisme.

Figure 13: Les signes printemps-été

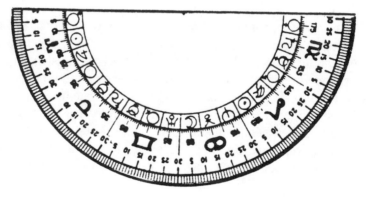

Poursuivant sa marche sur l'écliptique, le Soleil traversera ensuite les signes de la Balance, du Scorpion, du Sagittaire, du Capricorne, du Verseau et des Poissons. Il transitera donc les signes AUTOMNE-HIVER. À cette période de l'année commence en effet un long cheminement qui ne prendra fin qu'avec le retour du printemps. La nature amorcera sa vie intérieure, les feuilles des arbres vont tomber, les fleurs disparaîtront, les gens déserteront pelouses et jardins et se cantonneront à l'intérieur de leur maison. Analogiquement, la prépondérance de ces signes dans la carte du ciel imprime une tendance profonde à l'INTROVERSION. La vie psychique conditionne en quelque sorte le comportement du natif, qui se traduit par un repli sur lui-même, et il se dégage de son attitude une prédominance du sens théorique, de la subjectivité et de l'idéalisme.

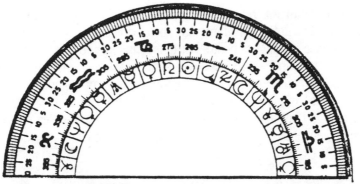

Figure 14: Les signes automne-hiver

LE GROUPEMENT BINAIRE:

Comme le groupement saisonnier, celui-ci se compose de signes POSITIFS ou MASCULINS et de signes NÉGATIFS ou FÉMININS.

Les signes positifs ou masculins sont ceux de Feu: Bélier, Lion et Sagittaire et ceux d'Air: Gémeaux, Balance et Verseau. Ils sont émetteurs d'action, de dynamisme et de courage. On les trouve extériori-

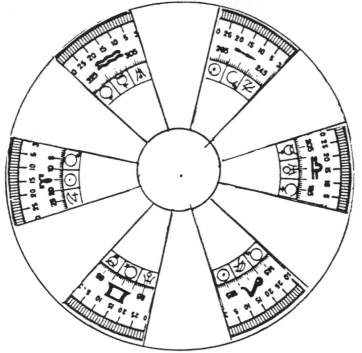

Figure 15: Les signes positifs ou masculins

sateurs et impulsifs, réagissant vigoureusement face aux événements de la vie. Le natif qui dans sa carte du ciel natal possède une prédominance des signes positifs et masculins donne l'impression d'être le propre artrisan de son destin. Il semble faire sa vie sans la subir. Cependant il a tendance à céder à toutes ses impulsions et précipite ses actes ne refusant ni la violence ni la témérité. Il est enclin à la vantardise, à l'orgueil et à la surestimation de lui-même. Ces particularités sont bien plus sensibles chez les signes de Feu que chez les signes d'Air.

Les signes négatifs ou féminins comprennent les signes d'Eau: Cancer, Scorpion et Poissons et les signes de Terre: Taureau, Vierge et Capricorne. Ils marquent une certaine retenue dans leur comportement, une sorte d'introversion, voire d'intériorisation. Plus opiniâtres et diplomates, ils prennent le temps de réfléchir avant d'agir et donnent l'impression de subir leur destin tout en se révélant très perméables à l'opinion de leur entourage, du milieu dans lequel ils évoluent. Ils sont généralement assez obstinés, craintifs, inactifs, voire indolents.

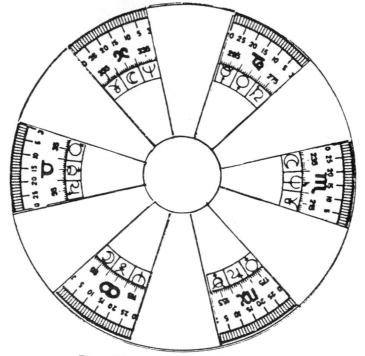

Figure 16: Les signes négatifs ou féminins

RÈGLES D'INTERPRÉTATION:

L'étude psychologique d'un sujet se réalise par l'interprétation des différentes structures, les unes par rapport aux autres. L'astrologue doit relever les prédominances marquées et valoriser les différents groupements en attribuant un certain nombre de points aux planètes, aux luminaires et à l'ascendant, en fonction de la position qu'ils occupent en signes, maisons de la carte du ciel.

Le plus grand nombre de points est alloué à l'ascendant, car il représente le point capital d'un thème astrologique. En second lieu, les luminaires reçoivent une valeur légèrement inférieure. N'oublions pas que ces astres sont représentatifs de la personnalité, après l'ascendant. Puis viennent les planètes individuelles et enfin les collectives. Pour garder la valorisation de Werner Hirzig, nous accorderons donc:

4 points à l'ascendant
3 points au Soleil et à la Lune
2 points à Saturne, Jupiter, Mars, Vénus et à Mercure
1 point à Uranus et à Neptune.

À titre de démonstration, reportons-nous à la carte du ciel (figure 17) qui représente le thème du sujet né le 9 septembre 1950 à 10 heures dans la ville de Montréal.

Pour les signes Printemps-Été du groupement saisonnier, la valorisation s'établit comme suit.

Uranus en signe du Cancer	1 point
Lune en signe du Lion	3 points
Vénus en signe du Lion	2 points
Soleil en signe de la Vierge	3 points
Saturne en signe de la Vierge	2 points
Total	11 points

Pour les signes Automne-Hiver du groupement saisonnier, la valorisation s'établit comme suit:

Ascendant en signe de la Balance	4 points
Mercure en signe de la Balance	2 points
Neptune en signe de la Balance	1 point
Mars en signe du Scorpion	2 points
Jupiter en signe des Poissons	2 points
Total	11 points

Nous voyons immédiatement qu'il y a une harmonieuse répartition des valeurs printemps-été et automne-hiver, ce qui fait penser qu'en regard des structures générales nous sommes en présence d'un sujet parfaitement équilibré qui peut à loisir jouir de la communication sous toutes ses formes. Il sait aussi s'effacer lorsque cela devient nécessaire et qu'il a besoin de satisfaire une vie intérieure intense. Il peut être à bon escient soit extraverti ou introverti.

Psychiquement, son comportement est influencé par des qualités intellectuelles remarquables et il peut subir avec beaucoup de sensibilité l'attrait de la nature, de laquelle il acquiert des expériences enrichissantes. On le pressent animé d'un sens pratique, dépouillé de tout parti pris, jugeant avec à-propos les cas qui lui sont soumis, sans chercher à idéaliser, mais au contraire en faisant une grande différence entre l'être et l'esprit qui le perçoit.

Il faut cependant admettre qu'il pourrait parfois être influencé par un comportement introverti et qu'il aimerait alors s'enfermer dans une sorte de solitude où il pourrait à loisir méditer longuement. Alors une vie intérieure l'habiterait et conditionnerait son comportement vers un repli sur lui-même. Durant cette phase de sa vie, son sens pratique disparaîtrait au bénéfice d'une facette beaucoup plus théorique, son jugement varierait en fonction de ses tendances de l'heure et l'idéalisme prendrait place sur le réalisme qui était son apanage lors de ses états extravertis.

Le deuxième groupement à étudier est celui des signes masculins ou positifs. La valorisation de cette partie du groupement binaire s'établit comme suit:

Ascendant en Balance	4 points
Lune en Lion	3 points
Mercure en Balance	2 points
Vénus en Lion	2 points
Jupiter en Verseau	2 points
Neptune en Balance	1 point
Total	14 points

Figure 17

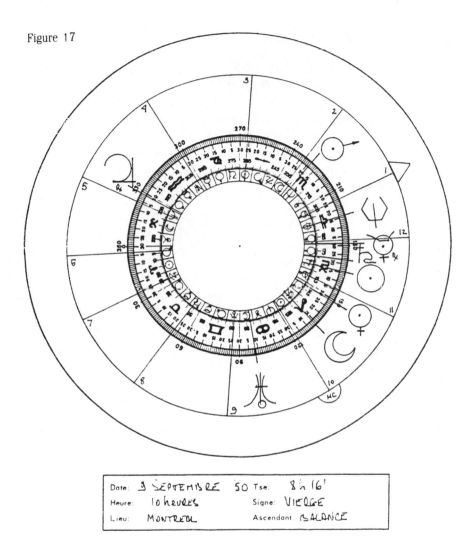

Date:	9 SEPTEMBRE	50	Tse:	8 h 16'
Heure:	10 heures		Signe:	VIERGE
Lieu:	MONTREAL		Ascendant	BALANCE

En ce qui concerne les signes négatifs ou féminins nous aurons:

Soleil en Vierge	3 points
Mars en Scorpion	2 points
Saturne en Vierge	2 points
Uranus en Cancer	1 point
Total	8 points

73

L'analyse pourrait être la suivante:

En regard du groupement binaire, les signes positifs et masculins sont nettement dominants et nous reconnaissons là un sujet artisan de son propre destin, réagissant vigoureusement face aux événements de la vie, sans pour autant céder à ses impulsions. Il ne se surestime pas et ne possède pas l'orgueil ou la vantardise que l'on trouve également chez ce genre d'individu. Il sait à certaines occasions être diplomate et perméable à l'opinion de son entourage. Quoi qu'il en soit il n'est ni obstiné ni craintif.

QUESTIONNAIRE SUR LE SEPTIÈME CHAPITRE

Question 1:

Un sujet né le 18 février 1933 à 6h22 dans la ville de Québec:

Domifiez la carte du ciel;
Placez les planètes et les luminaires;
Inscrivez les aspects;

Dites, en fonction des structures générales étudiées à ce jour, si le natif est introverti ou extraverti, s'il est dynamique, si l'on peut considérer qu'il est le propre artisan de sa réussite sociale ou si à l'inverse il subit les fluctuations des conjectures.

En quelque sorte, déterminez sa psychologie en fonction des groupements saisonnier et binaire.

CHAPITRE VIII

LES STRUCTURES GÉNÉRALES (suite)

Après avoir étudié les groupements saisonnier et binaire, nous allons maintenant analyser les groupements ternaire et quaternaire et voir leur incidence sur le tempérament profond et inné du natif.

LE GROUPEMENT TERNAIRE:

Comme son nom l'indique, ce groupement va nous mettre en rapport avec les signes Cardinaux, Fixes et Doubles.

Les signes CARDINAUX:

Ils représentent le Bélier, le Cancer, la Balance et le Capricorne. Ces signes en quadrature les uns avec les autres sont, de manière générale représentatifs de l'énergie et de la volonté. On dénote chez eux une tendance à l'impulsivité, au dynamisme, une promptitude dans l'action. Les natifs ont un tempérament orienté vers tout ce qui est nouveau et actif, mais ils peuvent de temps à autres changer brusquement de direction, voire de but. Naturellement cela n'est pas fait pour faciliter les résultats envisagés et parfois, ils peuvent eux-mêmes compromettre les conclusions. Ces qualités et défauts sont particulièrement sensibles chez les Bélier et le Capricorne mais un peu moins marqués chez le Cancer et la Balance.

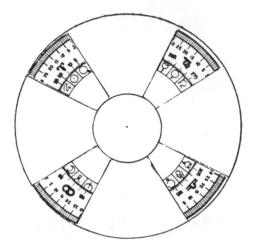

Figure 18: les signes cardinaux

Les signes FIXES:

Ce sont ceux du Taureau, du Lion, du Scorpion et du Verseau. Ils représentent tout ce qui est sentimental et statique. Chez eux, le psychisme domine le physique et ils dégagent une attitude qui semble stable, manifestant une sorte de grande inertie à tout ce qui est changement. Sentimentaux, ils sont sujets à de fortes émotions et montrent beaucoup de persévérance dans leurs entreprises. Ils manifestent de la continuité dans l'effort, bien que parfois leur tempérament soit intolérant, manquant de souplesse et alors les natifs deviennent contestataires. L'obstination et l'entêtement sont parmi les traits caractéristiques de leur tempérament. Ces attributs sont fortement marqués chez le Taureau et le Lion, un peu moins chez le Scorpion et le Verseau.

Les signes DOUBLES:

Ce sont les signes représentatifs du raisonnement: Gémeaux, Vierge, Sagittaire et Poissons sont des signes doubles. On trouve chez eux une activié mentale très développée, une grande vivacité de compréhension et une non moins grande intelligence. La curiosité est une de leurs caractéristiques et ils ont l'avantage de pouvoir mener plusieurs activités de front. On pourrait craindre que cela entraîne de la dispersion et de l'indécision mais cela arrive rarement. Ces qualificatifs sont

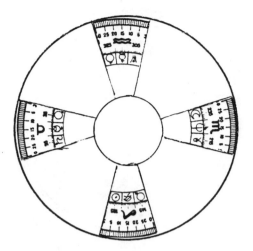

Figure 19: les signes fixes

manifestes chez les Gémeaux et le Sagittaire, mais atténués chez la Vierge et les Poissons.

En conclusion, ce groupement ternaire détermine que la caractéristique principale des signes Cardinaux est la *Volonté*; des signes Fixes est la *Sentimentalité*; des signes Doubles est le *Raisonnement*.

LE GROUPEMENT QUATERNAIRE:

Le groupement quaternaire est celui qui nous permettra de tirer des conclusions par l'étude des signes de Feu, d'Air, de Terre et d'Eau. (voir figure 21)

Les signes de FEU:

Le Bélier, le Lion et le Sagittaire sont représentatifs de tout ce qui est énergie. Positifs et masculins, ces signes prédisposent à l'action, ils sont impulsifs et leurs réactions sont parfois violentes et toujours vives. Démonstratifs et équitables, les natifs de ces signes sont énergiques et justes. Parfois indépendants, ils sont ambitieux et combatifs. Cependant leur courage et leur témérité sont souvent à l'origine d'actes imprévisibles dont les conséquences ne sont pas toujours positives.

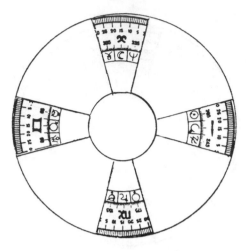

Figure 20: les signes doubles

Les signes de TERRE:

Ce sont des signes pratiques et méthodiques. Représentatifs des signes négatifs et féminins, ils comprennent le Taureau, la Vierge, et le Capricorne. Ces signes démontrent une grande tendance à la concrétisation des choses, à l'économie, à l'exactitude et à la fermeté dans leurs prises de position. Ils sont terre-à-terre mais attachés et fidèles. Ils possèdent un sens pratique profond et durable lorsqu'ils entreprennent une activité quelconque. Cependant ils deviennent parfois anxieux et l'entêtement qui les habite devient un handicap sérieux à la réalisation de leurs buts.

Les signes d'AIR:

Ils sont ingénieux, masculins et positifs. Les Gémeaux, la Balance et le Verseau ont un tempérament naturellement vif. Ils sont rapides dans leurs décisions comme dans leurs activités, mais sont toutefois superficiels. Il ne faut pas rechercher la profondeur dans leurs décisions, ce serait peine perdue. Spirituels et intelligents, ils sont sensibles et généreux mais très influençables et inquiets. Instables par excellence, ils sont sujets aux distractions.

Les signes d'EAU:

La sentimentalité et l'imagination sont l'apanage des signes d'Eau. En effet, quoi de plus sentimental qu'un Cancer ou plus imaginatif qu'un Poissons? Le Scorpion qui complète la gamme des signes d'eau n'en laisse en rien aux deux autres si ce n'est que sa susceptibilité est encore plus grande chez lui que chez ses semblables. Tous les trois ont mauvais caractère et sont sujets aux grandes émotions. Négatifs et féminins, ils sont portés naturellement vers tout ce qui est psychique, mystérieux et occulte. Doués pour la prémonition et pour la télépathie, ils sont aussi très perméables à l'entourage et se laissent facilement influencer.

L'ensemble de ces différents groupements nous permet de tirer des conclusions quant au tempérament d'un natif, mais il faut bien se souvenir que ces caractéristiques sont celles que le sujet possède à sa naissance et que sa volonté personnelle n'a pas encore eu l'occasion de se manifester. Les structures générales nous donnent un aperçu de ce qui est PROFOND et INNÉ chez ce sujet.

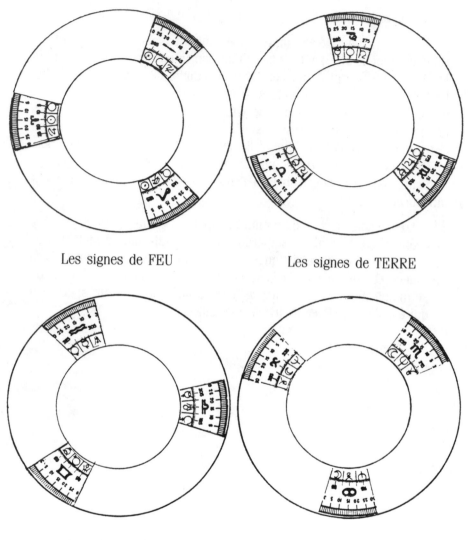

Les signes de FEU

Les signes de TERRE

Les signes d'AIR

Les signes d'EAU

Figure 21: le groupement quaternaire

82

QUESTIONNAIRE SUR LE HUITIÈME CHAPITRE

Un sujet est né le 10 septembre 1936 à Valleyfield vers 23h00. Domifiez la carte du ciel natale en y faisant figurer les aspects et étudiez les structures générales de cette personne.

La position de chaque planète et des luminaires est la suivante:

Soleil	167°	Mars	139°
Lune	108°	Jupiter	256°
Mercure	193°	Saturne	348°
Vénus	191°	Uranus	39°

Ces positions sont données pour l'heure de naissance exacte du sujet; aucune rectification n'est à faire.

CHAPITRE IX

INTERPRÉTATION PSYCHOLOGIQUE: LES STRUCTURES INDIVIDUELLES

Suite à l'étude des structures générales, il est nécessaire d'étudier et d'analyser les structures individuelles d'une personne pour connaître son tempérament. Au moment de la naissance, tout individu est imprégné par une ambiance issue de l'ensemble des planètes et des luminaires situés dans les signes du zodiaque. Cette ambiance est définie par les structures générales et est en quelque sorte imposée au natif sans que celui-ci puisse y changer la moindre influence. Cependant, prenant de l'âge, le sujet parviendra grâce à sa volonté à modifier ces tendances profondes et innées, et c'est cette volonté qui provoquera des métamorphoses psychologiques provenant des structures individuelles.

Contrairement aux structures générales déterminées par la position des planètes, des luminaires et de l'Ascendant en signe, les structures individuelles seront évaluées en tenant compte des astres en maisons astrologiques et secteurs bien définis. Il faut immédiatement noter que dans l'évolution des structures individuelles, on ne prend pas en considération l'ascendant puisqu'il est, par le fait même, cuspide de la première maison, donc qu'il ne peut se situer à l'intérieur d'un secteur quelconque.

LE SECTEUR DIURNE:

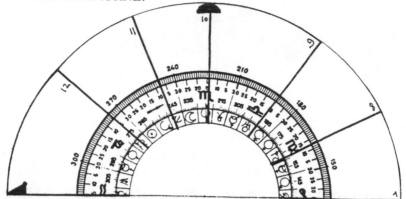

Figure 22: le secteur diurne

C'est la partie de la carte du ciel comprise entre l'AS et le DS en passant par le Milieu du Ciel. Cela est fort compréhensible si l'on considère que, durant la journée, le Soleil passe de l'Ascendant en Milieu du Ciel qu'il atteint à midi, et parvenu au Milieu du Ciel il poursuit son trajet jusqu'au Descendant où il arrive vers 18 heures. Toutes les planètes qui se trouvent dans ce demi-cercle sont situées dans le secteur diurne de la carte du ciel. De façon plus générale, nous pouvons conclure que les maisons XII, XI, X, IX, VIII et VII forment ce secteur représentatif de tout ce qui est extérieur ou communicatif au plan psychologique. Les planètes ont, dans cette partie de la carte, une force bien plus importante que lorsqu'elles sont situées dans l'autre partie, le secteur nocturne, que nous analyserons ultérieurement. Lorsque la valorisation de cette zone sera supérieure, nous pourrons conclure que la destinée sociale du sujet analysé sera orientée vers le contact, les échanges et la participation. Le comportement de la personne sera tel, qu'elle saisira toutes les occasions qui lui seront offertes pour expérimenter les situations heureuses ou malheureuses auxquelles elle sera mêlée, et en tirer des conclusions précieuses.

Ce secteur diurne s'apparente très bien avec les signes printemps-été du groupement saisonnier, à la seule différence qu'avec les structures individuelles, nous sommes en présence d'une manifestation volontaire de la part du natif, tandis que l'analyse des structures générales démontrait une tendance profonde et innée; c'est pourquoi nous dirons que ce domaine est représentatif d'une extraversion volontaire.

LE SECTEUR NOCTURNE: ou Introversion

Il est significatif de l'intériorité psychique et comprend les secteurs allant de l'Ascendant au Descendant, en passant par le Fond du Ciel ou encore les maisons 1, 2, 3, 4, 5 et 6; c'est la partie de la carte du ciel située sous l'horizon ou axe Ascendant-Descendant. Ce secteur renseigne sur les aptitudes du natif à mener une vie retirée ou intérieure. Les besoins de communications avec le monde extérieur sont sensiblement limités et le natif est enclin à garder ses distances. Il se plaît dans le domaine spirituel et s'apparente au type introverti défini par Jung. Nous relevons là une analogie avec les signes Automne-Hiver mais à cette différence près que dans ce cas précis, la tendance à l'introversion est volontaire alors qu'en analysant les signes Automne-Hiver, nous étions en présence d'une tendance innée.

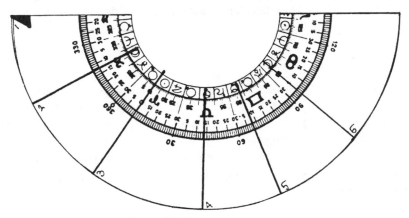

Figure 23: le secteur nocturne

LE SECTEUR ORIENTAL: ou Action

Partie gauche de la carte, il est compris entre le Milieu du Ciel et le Fond du Ciel en passant par l'Ascendant donc, formé par les maisons 10, 11, 12, 1, 2 et 3.

Le type Oriental est déterminé par une prépondérance des facteurs planétaires dans ce secteur et se remarque par une activité d'action généralement rapide. Le natif cherchera au cours de son existence à évoluer mentalement et socialement en améliorant son sort par des connaissances qu'il aura acquises par lui-même. Il faut noter un manque de générosité à l'égard d'autrui, et parfois dans son comportement une sorte d'égoïsme évident.

LE SECTEUR OCCIDENTAL: ou Réflexion

Situé sur la partie droite de la carte, il est formé des maisons 9, 8, 7, 6, 5 et 4.

Par opposition au type Oriental, l'Occidental est enclin à la réflexion et à la méditation. Le natif sera insensiblement poussé à agir dans l'intérêt de son entourage, vivant des expériences desquelles il tirera des conclusions qu'il partagera avec ses semblables. Il pourrait être qualifié de mécène, voire de philanthrope.

GROUPEMENT DES MAISONS:

Il est certain que les maisons de la carte du ciel présentent une analogie avec les signes du Zodiaque; c'est pour cette raison que l'on doit les prendre en considération dans l'analyse des structures individuelles.

LES MAISONS ANGULAIRES:

Ce sont les maisons 10, 1, 4 et 7 qui correspondent aux signes Cardinaux. Elles sont significatives d'une volonté inébranlable et d'un grand esprit d'initiative. Représentant les qualités dynamiques du natif, ses tendances et impulsions volontaires, elles le poussent à diriger les entreprises dans lesquelles il est impliqué et à prendre des responsabilités importantes. En conclusion, elles sont la marque de la volonté et des initiatives.

LES MAISONS SUCCÉDANTES:

Composées des maisons 11, 2, 5 et 8, elles sont le reflet des acquisitions et des richesses matérielles, particulièrement pour la deuxième maison qui, nous le savons, représente les acquisitions financières. Elles correspondent aux signes fixes et donnent une idée de continuité, de persévérance dans le caractère du natif.

LES MAISONS CADENTES:

Elles correspondent aux signes doubles et sont les maisons 3, 6, 9 et 12. Elles reflètent tout ce qui a un rapport avec le travail et la pensée du natif. Comme elles coïncident avec les signes doubles, elles marquent une sorte d'instabilité dans le domaine professionnel et la destinée se trouve de ce fait assujettie à une grande mobilité, voire à divers changements et modifications en regard de cette vie profession-nelle. On note aussi des changements dans la poursuite des buts fixés et des luttes subies ou provoquées à l'égard de ces objectifs.

Ayant valorisé les structures individuelles comme nous l'avions fait pour les structures générales, l'étude psychologique ne sera rien d'autre que la synthèse de ces données d'où nous retirerons des conclusions afin d'établir le caractère du natif.

QUESTIONNAIRE SUR LE NEUVIÈME CHAPITRE

Dressez la carte du ciel natale d'un sujet né le 7 février 1909 à 0h11' par 69°53' de longitude ouest et 18° de latitude nord.

Étudiez le caractère de cette personne du sexe masculin, sachant que son lieu de naissance se trouve dans le fuseau horaire 4 heures, que d'autre part le Soleil se trouvait à 16° du signe du Verseau, Mercure à 26° dans le même signe, que Neptune était à 14° dans le Cancer, Saturne à 7° dans le Bélier, la Lune à 29° du Lion, Jupiter dans la Vierge à 12°, Mars à 16° en Sagittaire, Uranus en Capricorne à 18° et enfin Vénus dans ce même signe à 26°. Nous n'utiliserons pas la planète Pluton.

L'étude de caractère se portera UNIQUEMENT sur les structures indivi-duelles.

CHAPITRE X

LES LUMINAIRES

LE SOLEIL:

À l'origine, le soleil représentait la déesse Samas et était négatif et féminin. Ce fut à l'époque de la domination grecque sur la science astrologique que le sexe du soleil fut inverti avec celui de la lune et que cet astre de lumière fut voué au dieu Hélios. Homère disait de lui:

«Ses yeux sont terribles sous son casque d'or, la lueur qui s'en échappe est aveuglante. Les oreillettes de son casque luisent sur ses tempes et encadrent son beau et lumineux visage. Un brillant vêtement léger flotte autour du dieu au souffle du vent. Les étalons sont haletants sous lui.»

Hélios était noble, sage, orgueilleux et courageux. Toutes ces caractéristiques nous les retrouvons dans l'influence astrologique attribuée à l'astre du jour.

Le soleil symbolise donc avant tout le feu, la chaleur, la lumière et la vitalité. Il donne la volonté de puissance, l'autorité et la domination. Il peut à souhait devenir le père, le gouvernement en astrologie mondiale, et le mari lorsque le thème étudié est celui d'une femme. Il gouverne l'œil droit, le cœur et la colonne vertébrale. Il prédispose à toutes les fonctions d'éclat ou de commandement.

Son exil est dans le signe du Verseau et sa chute dans la Balance, tandis que son domicile est au signe du Lion et son exaltation à 19° dans le signe du Bélier.

Lorsqu'il se trouve en conjonction avec une autre planète, il amoindrit les effets de celle-ci et s'approprie les qualités de cet astre. Pour assurer la réussite et la fortune dans la vie, il ne faut pas qu'il soit en dissonance.

En maison 1, il rend le sujet généreux, magnanime et honnête, avec beaucoup de noblesse dans le maintien. Dans un signe de Feu, il ajoute à ces qualités l'audace, l'énergie et un peu d'orgueil et de vivacité d'esprit. Dans les signes de Terre, il rend le sujet entêté et opiniâtre, tandis qu'en signes d'Air, il donne un caractère juste et l'amour des arts et des sciences. Dans les signes d'Eau, il dépouille le natif de toutes ses belles qualités et le rend fanfaron, prétentieux et viveur.

Dans cette maison, s'il reçoit des aspects harmoniques de la Lune il présage longue vie, richesses et prospérité, mais il est nécessaire qu'il soit dans les signes du Lion ou du Bélier et surtout pas en Balance ou dans le Verseau. En outre, s'il est en éclipse lunaire ou solaire le Soleil est mauvais pour la longévité et provoque des ennuis oculaires sérieux. Si nous voulions évaluer l'âge d'une conjecture solaire nous pourrions dire alors qu'il représente l'âge de la majorité.

En maison 2, il procure des gains d'argent par activité profession-nelle, mais cet argent sera rapidement dépensé en achats inutiles. Le natif aura des goûts de luxe et sera généreux au point de frôler la prodigalité. Si dans cette maison il est en aspects harmoniques avec Jupiter ou Vénus, il incitera le natif à conserver sa fortune et même à l'augmenter considérablement.

En maison 3, il inspire le goût des belles-lettres et des arts. Il fait le caractère ferme et déterminé. Le natif aura tendance à s'imposer à son entourage, voire à développer un complexe de supériorité vis-à-vis de ses frères et sœurs. Il est candidat à la poursuite de longues études comme à la conduite des véhicules. S'il se trouve en signes d'Eau, le Soleil laisse entrevoir beaucoup de petits déplacements tandis que dans les autres signes, il fait des gens sédentaires. En Lion ou en Bélier il donne des activités municipales.

En maison 4, il procure des héritages en terre ou en maisons et donne une fin de vie à l'abri des vicissitudes. Il influence la personne du père et fortifie l'esprit de famille. Dans un autre domaine, il laisse envisager la réussite tardive et rayonnante à la fin de la vie.

En maison 5, il annonce peu d'enfants et dans les signes d'Eau, ces derniers seront enclins aux maladies, faibles et risqueront une mort prématurée, à moins que le Soleil ne soit soutenu par des aspects harmoniques de Jupiter, de Vénus ou encore de la Lune. Il indique également le goût des plaisirs, du luxe et des dépenses frivoles. Enfin il accorde une place importante aux spéculations boursières ou financières et aux jeux de hasard.

En maison 6, il mine la santé et provoque des maladies caractérisées par le signe zodiacal dans lequel il se trouve. Sur le plan professionnel il renseigne sur les succès possibles en qualité d'employé, mais il donne de la difficulté pour parvenir aux postes supérieurs convoités.

En maison 7, il contribue au succès du natif et promet une belle fonction publique. Généralement, il donne le succès après le mariage ou suite à une association qu'elle soit sentimentale ou professionnelle, ou à un procès. Il élève l'association ou l'union dans la hiérarchie matérielle ou sociale. Il favorise la victoire sur les adversaires. Au point de vue conjugal, il accorde une épouse vertueuse et de bonne famille s'il est bien placé en signe et s'il reçoit de bons aspects.

En maison 8, il laisse prévoir de la fortune par le mariage, par héritage, don ou legs. S'il est en aspect dissonant avec Mars et que la cuspide de cette maison se place en Bélier, Scorpion ou Capricorne, il provoque une mort violente. En regard du père ou du mari, il indique aussi le décès et pour le natif un sérieux danger vers le milieu de sa vie. Il renseigne aussi sur les apports financiers venant d'une association.

En maison 9, il prédispose la vie du natif à de longs voyages, à des séjours dans des pays étrangers et détermine les rapports avec des personnes étrangères soit par idéal supérieur, réalisation morale ou passion spirituelle. C'est lui qui fait les hautes positions ecclésiastiques ou judiciaires.

En maison 10 ou Milieu du Ciel, il attire les honneurs, les emplois importants, la fortune et les rapports avec la mère. Dominant dans cette maison, sa puissance est maximum, il élève le sujet socialement en regard de sa condition natale. C'est la marque de la réussite sociale, d'une profession brillante, d'une position de chef.

En maison 11, il donne des amis riches et puissants qui aident le natif à atteindre le succès. Pour ce dernier, il assure la sympathie des gens puissants et facilite l'obtention d'appuis et de protection.

Enfin, en maison 12 et dans les signes de la Balance ou du Verseau, il attire de puissants ennemis, de longues maladies et une menace de prison. Les obstacles dressés devant la réussite sont presque insurmontables; quant à la vie secrète, elle prend une grande importance chez le sujet. Cependant en Bélier ou en Lion, et placé dans les cinq degrés précédant l'ascendant, il fait surmonter les obstacles, aide à la réussite professionnelle dans une fonction en rapport avec le milieu hospitalier, une maison de santé ou une prison.

LA LUNE

À l'origine, dans l'astrologie sumérienne, la Lune était un astre positif et masculin, alors que le Soleil était négatif et féminin. Il fallut attendre la tradition grecque pour que notre satellite naturel change de sexe. Sous les traits de la déesse Séléné, la Lune devint féminine et sœur d'Hélios. Pour Claude Ptolémée, la Lune était de nature humide du fait de son action sur les eaux, les fleuves et les marées.

Elle a élu domicile dans le signe du Cancer, et son exaltation se situe à 3° du Taureau. Elle accomplit sa course dans le Zodiaque en 27 jours, 7 heures, 43' et 5''. Magnétique et négative, elle produit une forte influence sur les gens selon la position qu'elle occupe à la naissance et les aspects qu'elle forme avec les autres astres. Elle est en exil dans le signe du Capricorne et en chute dans le Scorpion.

Lorsqu'elle est en conjonction avec le Soleil, elle donne une faible constitution, une vie courte si elle est anérète (qui peut produire la mort) à moins qu'elle ne soit soutenue par de bons aspects de Jupiter ou de Vénus. En éclipse, elle donne une constitution fragile et les enfants nés à cette époque vivent peu.

En harmonie avec Mercure, elle donne de la vivacité à l'intelligence, de la pénétration d'esprit et de la sagacité. Elle possède également une grande influence sur les questions financières.

Placée dans ses nœuds *en première maison*, elle procure une bonne intelligence, et dans l'Ascendant, elle fait le natif timide et réservé, de caractère instable mais généreux et aimant les gens. Dans les signes d'Air et dans la Vierge, elle donne le goût des études, des sciences, des langues et de l'occultisme. C'est elle qui fait les médiums et les somnambules lorsqu'elle est placée en conjonction avec l'Ascendant. Située en Capricorne et en Scorpion, elle indique une santé déficiente et incline à la débauche. Blessée par le Soleil, elle cause des maux d'yeux, mais en Cancer ou Taureau et en harmonie avec le Soleil, elle laisse entrevoir un mariage heureux et une santé florissante.

En deuxième maison, elle annonce la fortune surtout avec des aspects harmoniques de Jupiter ou de Vénus. Elle promet des fonctions publiques et des courants de chance. Il semble qu'avec de bons aspects, l'argent vient au natif plus qu'il ne va à lui. Par contre, en dissonance, elle rend inapte aux problèmes financiers et fait dépendre des autres pour les questions d'argent.

En troisième maison, elle accorde la notoriété, de nombreux petits déplacements par terre ou chemin de fer. Elle procure une sorte de sentiment d'infériorité à l'égard des frères et des sœurs, mais le goût des études. Lorsqu'elle est dissonance en Capricorne ou en Scorpion, elle laisse présager des ennuis de famille et parfois la mort d'un parent.

En quatrième maison, elle signifie de la richesse en agriculture ou en biens immobiliers et elle implique des changements de résidence. Quant à l'ambiance familiale, et en bon aspect, elle accorde une vie simple et calme, l'intimité entourée des siens, une vieillesse heureuse et indépendante. On note souvent une grande influence du milieu familial sur le natif, de la mère en particulier.

En cinquième maison, elle laisse voir une nombreuse postérité, particulièrement en Poissons ou en Cancer, mais si Saturne envoie une dissonance, les enfants ne vivront pas. Elle donne aussi l'amour des enfants, de la diversité dans les plaisirs et dans les distractions. Les liaisons amoureuses seront facilitées mais changeantes et très nombreuses. Enfin, dans le domaine des spéculations financières, tout comme dans celui des jeux de hasard, elle apporte le succès. Elle est, d'autre part, un facteur de chance relatif au milieu théâtral.

En sixième maison, elle détériore la santé, surtout en thème féminin. Dans les Gémeaux, la Vierge, le Sagittaire, les Poissons et en dissonance, elle produit des maladies des bronches et des affections nerveuses. Dans les signes fixes, tels que Taureau, Lion, Scorpion et

Verseau, elle est à l'origine des problèmes cardiaques, génitaux et de la gorge. En Bélier, Cancer, Balance et Capricorne, elle provoque des affections du cerveau, des reins, du foie, de l'estomac et de la peau.

En septième maison et bien disposée, elle annonce un mariage heureux, un changement de résidence, une fortune par association commerciale, ou une haute fonction publique, mais encore faut-il qu'elle soit placée sous un aspect harmonique de Jupiter, Vénus, Mars ou Saturne. Si elle se touve en conjonction avec la cuspide de cette maison, elle provoque de l'instabilité dans l'union ou dans les associations. En dissonance, elle entraîne l'impopularité et l'inimitié des femmes.

En huitième maison, dans le signe du Cancer ou du Taureau et en aspect harmonique, elle apporte la fortune par le mariage, des héritages, mais des enfants très fragiles. En dissonance dans le Capricorne ou le Scorpion, elle indique la mort sur la rue, en voyage, par accident ou par violence, surtout si Neptune, Saturne ou Mars sont en relation avec elle. Elle laisse envisager aussi le veuvage et, pour une femme, que le soutien financier du mari laisse à désirer. C'est aussi le signe d'une mort prématurée de la mère.

En neuvième maison, elle annonce de longs voyages surtout en Bélier, Cancer, Balance, Capricorne qui sont les signes mobiles. Elle donne la fortune par voyage, un esprit tourné vers les sciences et les belles-lettres, mais dénote un peu d'excentricité. Elle déséquilibre les opinions religieuses et morales et provoque des relations avec les étrangers.

En dixième maison, elle promet la prospérité, la popularité, la faveur des femmes et le succès en affaires commerciales ou financières. Cependant, la destinée est instable, changeante, particulièrement en ce qui concerne la carrière. Près du Milieu du Ciel et en aspect harmonique avec Mercure, elle donnera une élévation dans le domaine littéraire et scientifique avec grande popularité. Avec Jupiter, elle causera honneurs et richesses; avec Saturne, ce sera la fortune par l'agriculture ou l'immobilier; avec Mars, elle donnera des victoires militaires ou des réussites en chimie, physique ou en médecine; avec Vénus, la fortune arrivera par les femmes, le théâtre, les arts ou les plaisirs. Enfin, elle donne la réussite professionnelle par l'intermédiaire des femmes.

En onzième maison, elle annonce beaucoup d'amis utiles et serviables, mais d'humeur changeante. Dans les signes fertiles ou d'eau (Cancer, Scorpion, Poissons) elle promet beaucoup d'enfants. Elle renseigne aussi sur le sexe amical qui est opposé à celui du natif.

En douzième maison, enfin, elle apporte une enfance malheureuse avec des maladies et des épreuves affectives. Le milieu familial sera difficile; c'est dans cette position qu'elle provoque des chagrins, les séjours en prison, et si elle reçoit des dissonances, elle donne une propension au crime. Cependant, en Cancer ou en Taureau et près de l'Ascendant (moins de 5°) elle indique des voyages, succès et chance dans les entreprises et une vie domestique tranquille.

QUESTIONNAIRE SUR LE DIXIÈME CHAPITRE

Établissez la carte du ciel natale d'un sujet né le 26 août 1946 dans la ville de Montréal vers 8h20'.

Déterminez la position du Soleil et placez la Lune à 28° du signe du Lion, puis analysez ces luminaires en fonction des positions qu'ils occupent en signes, maisons et des aspects qu'ils reçoivent ou envoient aux différents autres points de la carte du ciel.

CHAPITRE XI

LES PLANÈTES RAPIDES OU INFÉRIEURES

Après avoir étudié les effets des luminaires en secteurs, nous allons maintenant prendre en considération ceux des planètes dites rapides qui sont Mercure, Vénus et Mars.

MERCURE:

Planète hermaphrodite par excellence, elle prend la nature de l'astre avec lequel elle est en conjonction. À l'époque chaldéenne, Mercure avait des caractéristiques différentes de celles que nous connaissons maintenant et qui sont la représentation d'Hermès, symbole de l'intelligence, de l'adolescence, mais aussi de la subtilité alliée à la finance et à plusieurs facultés d'adaptation.

La planète Mercure est la plus petite et la plus rapprochée de notre soleil. Elle est toujours visible parce qu'elle ne s'éloigne jamais de plus de 28° du luminaire. Sa couleur est celle de l'oxyde d'argent et elle fait le tour du Zodiaque en 87 jours et 23 heures. Elle demeure stationnaire pendant 24 jours.

Négative et magnétique, elle a élu son domicile diurne en Gémeaux et nocturne en Vierge. Son exil est en Sagittaire si la naissance a lieu de jour, et en Poissons si elle a lieu de nuit. L'exaltation se place dans la Vierge à 15° et Mercure est en chute dans le signe des Poissons.

Lorsque Mercure est placé en *première maison*, il accorde une grande vivacité d'esprit et une bonne mémoire, à moins qu'il ne soit affligé ou mal placé en signe. En effet, dans les signes de Feu il dénote de l'imagination, fait l'esprit plus vif et le natif est prédisposé pour les mathématiques et l'architecture. Il faut noter que dans le Bélier, le caractère sera plus versatile, tandis que dans le Lion, il sera plus opiniâtre. Dans les signes d'Air, la pensée et l'intelligence seront plus profondes; dans la Vierge, le sujet prendra une tangente scientifique, l'intuition sera grande tout comme la facilité pour l'étude des belles-lettres et des arts. Dans les signes de Terre, le sujet aura des instincts matériels, un peu de rudesse dans le comportement; il sera entêté, rusé, habile diplomate, surtout dans le signe du Capricorne. Dans les signes d'Eau, la sentimentalité prendra le dessus; l'imagination, la rêverie et la sensibilité produiront des sujets érudits plutôt que savants. Le Scorpion avec Mercure crée des médecins, des chimistes, des mécaniciens habiles.

Dans les signes Cardinaux, il produit l'indépendance, l'énergie et l'ambition.

Dans les signes Fixes, il indique volonté, persévérance et détermination.

Dans les signes Doubles, il dénote inconstance, superficialité et versatilité.

En aspect avec Uranus, Mercure accorde l'amour des sciences occultes; avec Saturne, la profondeur de pensée; avec Jupiter, la droiture de jugement; avec Mars, des talents militaires; avec Vénus, le goût de la musique; avec le Soleil, le désir de gloire.

Dans la maison 2, il dénote l'intelligence en affaires et le sens des transactions; en dissonance, il disperse l'argent gagné par le travail.

Dans la troisième maison, et en raison du sextile qu'il peut avoir avec l'Ascendant, il augmente la pénétration de l'esprit, la perspicacité et le goût des études. Cependant, dans le signe des Poissons il rend l'esprit moins logique et plus superficiel. Il indique encore de nombreux petits voyages. Il développe en outre l'esprit de fraternité, le goût des relations mondaines et de la conversation.

En maison 4, les relations familiales sont sous le signe de la compréhension; il laisse présager des gains, le succès vers la fin de la vie en ce qui concerne la littérature, le commerce de détail ou une profession libérale. Il incite aux déménagements, aux changements de résidence et aux transactions immobilières.

Dans la maison 5, il fait aimer les plaisirs et les jeux de hasard. Les petites spéculations boursières sont avantagées s'il reçoit de bons aspects, mais il entraîne des pertes avec des dissonances. Placé dans cette maison en signes stériles, Gémeaux, Lion, Vierge, il refuse toute prospérité, ou, se trouvant placé en signes féconds, Cancer, Scorpion, Poissons, il fait des enfants difformes ou faibles d'intelligence. Par contre, ailleurs, il provoque des rapports compréhensifs avec les jeunes. Sur le plan sentimental, il entraîne le flirt et des liaisons plutôt intellectualisées.

En sixième maison, il facilite l'adaptation dans le milieu du travail et donne de l'habileté dans la production. Il procure le goût des petites affaires variées, mais en dissonance, il entraîne la dispersion, l'instabilité dans les activités professionnelles et une prédisposition à la nervosité. Pathologiquement, il déclenche des troubles bronchiques ou pulmonaires, en Poissons, Sagittaire ou en Vierge, des maladies nerveuses ou mentales. Il indique cependant que le natif sera plus heureux comme employé que patron.

Dans la maison 7, il indique un conjoint dont le signe est sous son influence, tout comme des difficultés en ménage ou avec des gens dont la profession est placée sous sa domination. Il provoque des changements de position sociale ou professionnelle. Lorsqu'il est débité et maître de la maison 10, il indique que le mariage sera plus intéressé que sentimental et que le natif sera prédisposé aux associations, aux relations d'affaires et à la signature de nombreux contrats.

Dans la huitième maison et bien disposé, il assure l'aisance financière par mariage, mais indique la mort d'un frère, d'une sœur, ou d'un parent au cours d'un voyage. Il rend le caractère triste, rêveur, poète et laisse entrevoir des gains par la parole ou les écrits.

En maison 9, il donne l'esprit religieux, philosophique. En raison de son trigone à l'Ascendant, il augmente l'intuition surtout s'il est en Gémeaux, Balance, Verseau, ou encore dans la Vierge. En signes Mobiles, Bélier, Cancer, Balance, Capricorne, il incite aux longs voyages avec des gains par emploi itinérant. Il donne la tendance à la tolérance ou aux fréquents changements d'idées.

Dans la maison 10, il fait les écrivains, les professeurs, les secrétaires ou les avocats. Il donne la réussite sociale, l'intelligence, le savoir-faire et le sens des contacts professionnels, mais dans le Sagittaire il fait aussi les charlatans et les pseudo-savants.

En maison 11, il prédispose à l'amitié s'il n'est pas affligé par Mars, car alors il déclenche la calomnie.

En douzième maison, l'adolescence est maladive ou malheureuse. Des inimitiés sont à craindre des frères ou des sœurs, des collègues ou des proches, surtout s'il est en Taureau, Capricorne ou Scorpion. Bien placé, il présage le succès et fortifie l'esprit à cause de son semi-sextile avec l'Ascendant. Il entraîne aussi en dissonance la fausseté, le mensonge, le vol et fait que l'on s'adapte vite aux coups du sort.

VÉNUS

C'est l'une des plus belles planètes du système, qui est appelée Vesper lorsqu'elle est visible le soir ou Lucifer quand elle se montre avant le lever du soleil. Très brillante, sa lumière est éclatante. Elle fait le tour du Zodiaque en 224 jours et 7 heures, demeurant stationnaire 2 jours et rétrogradant 42 jours. En Chaldée, elle était vouée à Ishtar déesse de l'amour, tandis qu'en Grèce, elle rejoignait l'influence de Vénus-Aphrodite.

Magnétique et négative, on lui donne le nom de Petite Fortune. En naissance Diurne, son domicile est au signe de la Balance, alors qu'en naissance Nocturne, il est dans le Taureau. L'Exaltation se situe à 27° des Poissons, l'Exil en Bélier pour la naissance Diurne et en Scorpion pour la Nocturne; enfin, elle est en chute dans le signe de la Vierge. Très bénéfique, elle fortifie la constitution du natif lorsqu'elle se trouve dans l'Ascendant *(la maison 1)*, mais l'incline vers les plaisirs d'une manière telle qu'elle peut finalement devenir préjudiciable à la santé.

En général, elle donne un caractère paisible et l'amour des lettres et des arts. Elle rend la personne agréable à regarder, captivante, bien proportionnée, sensible, aimant le chant et la musique, affectueuse, gaie et enjouée. Lorsqu'elle est dans le signe du Scorpion, du Bélier ou de la Vierge, elle perd presque toutes ces qualités et rend le natif débauché, vil et licencieux. En aspect dissonant avec Mars, elle fait perdre toute chasteté, tandis qu'avec un même aspect de Saturne, elle incline au libertinage. Toujours en maison 1, elle marque d'une fossette la joue ou le menton et accorde une vie heureuse.

Dans la deuxième maison et dignifiée, elle apporte le succès et la fortune; mais en Scorpion, Bélier ou Vierge, elle incite le natif à dissiper son argent en dépenses irraisonnées et en plaisirs inutiles. Cependant, en bon aspect, elle permet de vivre matériellement de façon satisfaisante, facilite les transactions d'argent, particulièrement lorsque cet aspect implique Saturne qui lui procure en plus l'habileté financière.

En maison 3, elle a une grande influence sur les qualités spirituelles, accordant le goût de la poésie, des arts, de la musique et de la danse. En aspect avec Mercure, Mars, Saturne ou Uranus, elle produit les journalistes, les critiques d'art, les philosophes et les romanciers. Comme elle représente l'association de l'amour et de l'entourage, elle provoque la bonne entente et des sentiments amoureux avec les frères, sœurs, cousins, cousines, voisins, voisines, ou encore des liaisons contractées par correspondance. Elle provoque des petits voyages d'agrément et des déplacements d'affaires.

Dans la maison 4, elle constitue le ciment de l'affection familiale et apporte au natif un patrimoine en terre et immeuble. Elle annonce une fin de vie heureuse tout en faisant prospérer les affaires des parents. En matière de logement, elle donne beaucoup de chance, car elle améliore le confort; cependant en Vierge, Bélier ou Scorpion, ses présages sont nettement défavorables.

En cinquième maison, elle produit l'amour du plaisir et du beau sexe, le goût des jeux de hasard et des spéculations, et produit de la chance en ces matières. Elle conduit à de belles et grandes amours, à de nombreux plaisirs esthétiques ou artistiques et à une postérité nombreuse en filles.

En maison 6, elle détourne les maladies et leurs effets malins et donne du succès dans les affaires commerciales en rapport avec les petits animaux. Elle fait rencontrer l'amour dans le milieu du travail, l'affection des subordonnés, mais aussi le don de plaire aux collaborateurs.

En septième maison, elle indique peu d'ennemis, le bonheur dans le mariage et le succès dans les affaires commerciales opérant en société. Les procès se dérouleront avec plus de facilité, mais c'est surtout dans le domaine conjugal qu'elle aura le plus d'effet positif puisqu'elle donnera l'amour sincère et fécond, une grande passion légale, une harmonie à toute épreuve. Elle adoucit les conflits et apporte des réconciliations et des solutions à l'amiable. Dans ce secteur et en Taureau, Balance, Poissons, ou encore en conjonction avec Jupiter ou le Soleil, elle rendra le sujet apte à s'élever à quelque haute dignité ou fonction publique, mais maléficiée par Mars, elle donne lieu à l'adultère.

Dans la huitième maison, en Balance, Taureau ou Poissons, elle promet l'aisance par le mariage ou par testament, héritage, don ou legs. La mort sera paisible et naturelle. Mais elle peut aussi annoncer un veuvage précoce ou la perte de personnes aimées. Affligée, elle attire la séparation et des chagrins d'affection. Elle constitue d'autre part un facteur heureux en matière d'apport financier du mariage.

Dans la maison 9, elle annonce de grands voyages profitables. Comme cette maison est au trigone de l'Ascendant et en opposition à la maison 3, elle donnera un caractère jovial, des talents artistiques et littéraires, des sentiments religieux et un mariage à l'étranger ou avec un étranger. Elle provoque une rencontre sentimentale à l'étranger et les voyages seront féconds en sympathie; on trouve aussi dans cette situation une association entre l'amour et l'idéal, des aspirations religieuses greffées sur le sentiment.

En maison 10, elle présage l'élévation sociale, l'estime et la distinction dans la vie avec le succès, et la protection des femmes. Elle provoque la rencontre de l'amour dans le milieu professionnel. C'est un facteur de chance et de réussite facile.

Dans la onzième maison, elle procure la réussite des projets, l'amitié et la protection des femmes de haute condition et peut donner la métamorphose de l'amitié en amour ou inversement, mais aussi des complications venant d'amis.

Enfin dans la maison 12, elle laisse entrevoir du succès dans la vie mais dans une fonction plus dans l'ombre. Elle entraîne cependant des maladies, la réclusion, les inimitiés tenaces provenant de femmes méchantes et jalouses, des ennuis dans le mariage, des liaisons altérées par le pathos psychique, des liaisons secrètes évoluant vers l'infortune, des passions se transformant en inimitiés. On y trouve aussi un mariage avec une personne de condition inférieure.

MARS

Bien que cette planète ait une orbite supérieure à celle de notre Terre, je la considère comme une planète inférieure en regard du volume des autres que nous étudierons ultérieurement. Arès pour les Grecs ou Nergal pour les Chaldéens, Mars reste toujours le dieu de la guerre. Au sujet de sa nature, Ptolémée dit qu'elle est essentiellement propice pour dessécher et brûler conformément à sa couleur rouge et à sa proximité du Soleil. Cette planète symbolise la puissance fougueuse, le choc brutal, la guerre. Représentant l'amant, elle est généralement maléfique. Sa révolution dans le zodiaque est de 686 jours et 22 heures. Rétrogradant durant 80 jours, elle est stationnaire pendant 2 ou 3 jours.

Électropositive, c'est une maléfique qui cause des maladies violentes, des fièvres, et les gens nés sous son influence sont sujets aux risques, aux blessures et aux accidents violents. Batailleurs et implacables, ils sont aussi intrépides et amoureux des dangers. Mars fait les grands capitaines et les navigateurs courageux lorsqu'elle est placée près du Milieu du Ciel.

En première maison, elle rend courageux et impétueux mais laisse présager des blessures par le feu ou les armes. En signe de Feu elle procure l'ambition, l'indépendance, la colère et la détermination. En signe de Terre le natif sera méchant, têtu et rusé, tandis que dans les signes d'Air, il aura la piqûre des voyages, peu de succès mais de l'ambition, alors que dans les signes d'Eau elle créera des marins, mais donnera des tendances à la boisson et au libertinage. Si elle est placée dans le Scorpion, elle fera des médecins, des chimistes, des avocats, des militaires, mais dans tous les cas elle influencera en fonction de la situation, des aspects reçus et du signe dans lequel elle se trouvera.

Dans la maison deux, elle annonce la pauvreté pour le natif et le manque d'argent. En Bélier ou Scorpion, elle fait perdre la fortune par des spéculations ou des entreprises financières hasardeuses.

En maison trois, elle incite à l'athéisme et procure un caractère opiniâtre et entêté. Elle est à l'origine des brouilles et des désaccords entre frères et sœurs. Elle donne l'amour des voyages de courte durée, mais cause des accidents impliquant des véhicules motorisés.

Dans la quatrième maison, elle annonce des dangers pour la vie des parents, des pertes d'héritages et une vieillesse malheureuse, à moins d'être soutenue par des aspects harmoniques. Elle procure une mort soudaine et provoque des troubles digestifs.

Dans la cinquième maison, elle donne des amours tapageuses et tourmentées. Les excès et les débordements sont fréquents sur le plan sexuel et les brouilles nombreuses avec le partenaire. Pour les femmes, elle entraîne des couches laborieuses, et peut même provoquer la mort des fœtus ou des enfants. Dans le domaine spéculatif et des jeux de hasard, elle entraîne la dilapidation des gains. Fait aimer les sports violents.

Dans la sixième maison, c'est dans la sphère du travail qu'elle applique son agressivité. Parfois positive, plus souvent négative, elle tend à déboucher sur des rivalités, sur une usure des forces vitales du natif, sur des succès âprement gagnés aussi bien dans le domaine des relations avec les subalternes qu'avec les supérieurs. Elle est en outre préjudiciable au plan de la santé en provoquant des angines, des diphtéries, des maladies du cœur dans les signes Fixes, des troubles pulmonaires dans les signes Communs, des blessures ouvertes, des brûlures, des affections du foie, des reins, des oreilles dans les signes Cardinaux. Elle entraîne aussi des accidents au travail.

Dans la septième maison, elle fait connaître des rivalités et des luttes pour vaincre. Les procès, les ruptures de contrats, les associations difficiles sont fréquents tout comme les inimitiés déclarées. Elle procure un mariage manqué ou malheureux et souvent le divorce, car elle entraîne une union précipitée, nouée sous l'effet de l'impulsivité, d'où scènes de ménage et séparation. En carré à la Lune, elle peut entraîner la mort par brûlure.

Dans la maison huit, elle laisse supposer des interventions chirurgicales à l'organe indiqué par le signe qu'elle occupe. Les dangers de mort violente sont grands. Elle entraîne aussi des contestations et des querelles à propos d'héritage. Le conjoint est souvent extravagant, voire fantasque, et il commet des excès de prodigalité remarquables.

Dans la neuvième maison, elle donne un caractère despotique, anti-religieux, sarcastique et jaloux. Elle procure le goût des voyages au cours desquels le natif risque de trouver la mort s'il est «maléficié». Le genre de mort pourra être identifié par le signe où elle sera placée. Par contre, elle donne la capacité de lutter pour un idéal. Les rapports avec les étrangers risquent d'être tendus.

Dans la dixième maison, elle associe la carrière et l'agressivité. La réussite pourra être acquise par la force du poignet, mais le natif connaîtra des rivalités professionnelles. La réputation sera discutée, critiquée, voire discréditée. Dignifiée, elle engendrera des grands militaires comme nous l'avons déjà dit.

Dans la maison onze, elle indique de faux amis et des dangers venant d'eux. Il y aura des emballements irraisonnés, des pressions tyranniques, des débordements passionnés. On note des disputes amicales, des ruptures violentes mais de courte durée.

Dans la maison douze, elle procure beaucoup d'ennemis secrets et malicieux, des procès, des accusations, des scandales et même des pertes de réputation. Sous les aspects dissonants de Saturne ou d'Uranus, elle provoque des accusations criminelles et entraîne des peines capitales ou de très longues détentions. Elle annonce la mort dans un hôpital ou dans un lieu de retraite.

QUESTIONNAIRE SUR LE ONZIÈME CHAPITRE

Domifiez la carte du ciel d'une personne née le 27 novembre 1971 vers 5h23' dans la ville de Québec. Les positions des astres étaient les suivantes: Soleil 244° – Lune 351° – Mercure 265° – Vénus 267° – Mars 341°.

Tracez les aspects entre elles, le M.C. et l'Ascendant et interprétez les maisons occupées.

CHAPITRE XII

LES PLANÈTES LENTES OU SUPÉRIEURES

Après avoir étudié les luminaires et les planètes rapides, nous entreprenons maintenant l'analyse des planètes de l'octave supérieur ou planètes lentes. Au nombre de 5, ce sont les planètes Jupiter, Saturne, Uranus et Neptune. Pluton, la cinquième planète, diffère des quatre premières tant par son orbite qui est extra-solaire que par ses influences qui agissent plus sur les masses populaires que sur les individus.

JUPITER:

En apparence, c'est la planète la plus volumineuse. Jadis attribuée au dieu chaldéen Mardouk, c'est la Reine des planètes. Ce dieu Mardouk était agressif et violent comme le sont généralement tous les jupitériens. Pour Claude Ptolémée, Jupiter est le «grand bénéfique» par excellence. Il apporte l'expansion, l'ordre et fait le natif plein d'assurance et de jovialité. C'est un libéral très bourgeois, chanceux et promis à la réussite et aux honneurs.

La planète accomplit sa révolution autour du zodiaque en 12 ans et elle est rétrograde durant 120 jours. Électro-positif, on dit de Jupiter que c'est la Grande Fortune.

Lorsqu'il est en harmonie avec l'ascendant, Jupiter fortifie la santé et donne au natif les forces nécessaires pour faire face victorieusement aux assauts de la maladie. Proche du Milieu du Ciel, il procure la chance en réconfortant le tempérament et donne une très belle position sociale.

Son domicile diurne est le Sagittaire, tandis que son signe nocturne est celui des Poissons. En exil dans les Gémeaux et la Vierge, il a sa chute dans le Capricorne et son exaltation à 15° du Cancer.

EN MAISON 1:

Il donne une santé florissante, un teint vermeil et fait le natif généreux, heureux, sincère et lui procure fortune et chance dans les entreprises.

EN MAISON 2:

Il accorde richesses et prospérité à la condition d'être harmonieusement aspecté par les luminaires. Par contre, il diminue ses faveurs lorsqu'il est sous l'influence d'aspects dissonants.

EN MAISON 3:

Il établit l'entente entre frères et sœurs, favorise les petits voyages d'agrément, donne le goût des lettres et de la religion.

EN MAISON 4:

Il laisse entrevoir la fortune du père, procure de beaux héritages et une fin de vie heureuse. S'il est dissonant, il entraîne des pertes de fortune et une vieillesse difficile.

EN MAISON 5:

Il procure de beaux enfants intelligents qui auront une position sociale remarquable. Il présage aussi la chance en spéculations financières et dans les jeux de hasard. Enfin, au niveau sentimental il accorde des liaisons heureuses et protégées.

EN MAISON 6:

Il procure de bons serviteurs et une santé florissante; aux employés, aux collaborateurs, il fait la situation satisfaisante. Cependant, s'il est en dissonance il produit sur le plan pathologique des affections du sang, du foie et des poumons.

EN MAISON 7:

Il annonce le bonheur dans le mariage et dans les associations sentimentales. En ce qui concerne les sociétés commerciales et les associés, il donne la réussite tout comme il le fait dans les affaires publiques. Il entraîne la victoire sur les ennemis déclarés, sauf s'il se trouve dans les signes des Gémeaux, de la Vierge ou du Capricorne. Enfin, il fait le conjoint ou le partenaire vertueux et riche.

EN MAISON 8:

Il présage la fortune par legs, don, succession ou héritage. Il procure des avantages d'ordre officiel, des gains en assurance, des remboursements d'impôt et donne une mort paisible.

EN MAISON 9:

Il augmente les tendances religieuses, accorde indulgence et tolérance. Dans les rapports du natif avec les étrangers, il procure l'expansion sociale et la réussite, tout comme il rend les grands voyages heureux et profitables.

EN MAISON 10:

Il confère au natif des dignités, des honneurs et de riches emplois. Il rend ambitieux, prestigieux et permet d'accéder à des postes supérieurs dans les affaires publiques. Il profite à la mère ou au père, à la condition d'être en harmonie avec les luminaires.

EN MAISON 11:

Il procure des amis puissants, des protections, la réussite des projets à la condition d'être en harmonie. Par contre, il fait que les amis incitent le natif à voir trop grand et à vivre au-dessus de ses moyens.

EN MAISON 12:

Il indique qu'au niveau des finances, les épreuves assiégeront le natif, mais que ce dernier sera protégé des pires ennuis si la planète est harmonique. Elle lui permettra de triompher de ses détracteurs; d'autre part, Jupiter donne une vie généralement calme. S'il est «maléficié», il entraîne des dommages sérieux; c'est ainsi qu'avec Saturne, Uranus ou Neptune la santé sera atteinte, et des difficultés sans nombre seront à craindre surtout s'il est placé en Vierge ou en Capricorne.

SATURNE:

Son archétype était le dieu chaldéen Ninib auquel les Grecs substituèrent Kronos-Saturne. Il était donc directement le fils d'Uranus, dieu du ciel et de Gaïa la Terre. C'était aussi l'un des douze enfants qui formèrent les 12 Titans de la mythologie. Au sujet de ce dieu, nous savons qu'il sectionna d'un coup de faucille les testicules de son père, et qu'après avoir épousé sa sœur Rhéa, son règne dura jusqu'à ce qu'il fut lui-même émasculé par Jupiter. Exilé sur l'île des Bienheureux, il s'y trouverait encore de nos jours. On dit aussi qu'il est le dieu du Temps car en grec, Saturne et temps se prononcent de la même façon «cronos». La planète représente le temps, la vieillesse, l'usure, le ralentissement, les épreuves, le froid, la science et la lenteur.

Peu brillante, elle est de couleur assez pâle, terne et plombée. Elle tourne autour du zodiaque en 29 ans et 167 jours, restant stationnaire 5 jours avant de commencer à rétrograder et encore 5 jours avant de reprendre sa marche directe. Magnétique et négative, elle est encore plus pernicieuse qu'Uranus comme nous le verrons plus tard. On la nomme le «Grand Maléfique» et elle est la cause d'une grande partie des maux de l'Humanité. Elle entraîne des chutes, des meurtrissures, de longues maladies, des disgrâces, des catastrophes, la ruine. Elle symbolise l'inéluctable et l'inexorable fatalité. Elle donne la gloire et la puissance pour ensuite frapper l'individu avec sa faux meurtrière. Elle conduit à l'exil, au meurtre ou à la mort violente, voire même à l'échafaud. À titre d'exemples nous pourrions nous reporter aux cartes du ciel de Jésus, de Néron, de Charles 1er, de Marie-Stuart, d'Henri IV, de Marie-Antoinette, de Napoléon 1er ou III; tous ont Saturne prédominant leur carte.

Son domicile diurne est le signe du Verseau, tandis que le nocturne est dans le Capricorne. Elle est en exaltation à 21° de la Balance et se trouve aussi en joie dans le signe du Capricorne. Sa chute se situe dans le Bélier alors qu'elle est en exil diurne dans le Lion et nocturne dans le Cancer.

Placé à l'ascendant et dans un signe favorable, Saturne fait le natif discret et réservé, fidèle, doté de beaucoup d'imagination et d'une très grande prudence. En dissonance ou mal placée, elle rend morose inquiet, soupçonneux, ami de la solitude. Elle nuit à la santé et donne de mauvaises dents.

Sous des aspects harmoniques de Vénus, elle rend les femmes dévouées, honnêtes et sincères. Avec Mercure elle donne un jugement sain, et avec Mars, de la détermination.

En maison 1 ou 7 et sans aspects, elle procure une constitution maladive et sujette aux ecchymoses.

DANS LA MAISON 2:

Elle n'est pas favorable aux richesses et laisse entrevoir des ennuis financiers. Le natif n'est jamais satisfait de sa situation pécuniaire et se sent continuellement frustré. La planète entraîne une gêne réelle dans l'existence et parfois même la pauvreté. Cependant, recevant de très bons aspects, Saturne dans cette maison favorise les acquisitions lentes qui sont les fruits d'un effort soutenu.

Si dans cette maison, elle est dignifiée et soutenue par des aspects de Jupiter ou de Vénus, elle accorde avec parcimonie des héritages ou encore la fortune. Par contre, déprimée, elle détruit tout simplement la fortune du natif.

DANS LA MAISON 3:

Elle rapporte la discorde entre frères et sœurs et provoque des conflits avec les voisins. Elle cause des accidents au cours de petits déplacements. Cependant, lorsque dans cette maison elle forme un sextile avec l'ascendant, elle rend le natif sérieux, méditatif, ami des sciences et de l'astrologie, à condition d'être bien située et en aspect harmonique avec Mercure et la Lune.

DANS LA MAISON 4:

Elle annonce que la fin de la vie sera difficile et pauvre. La santé des parents sera précaire et les transactions immobilières très délicates. Cependant, en Balance, en Capricorne ou en Verseau, elle promet de riches propriétés, une fin de vie à l'abri des problèmes et une existence en rapport avec l'agriculture, les terrains et les immeubles.

DANS LA MAISON 5:

Les jeux de hasard et les spéculations sont nettement défavorisés. Si elle se trouve en Poissons, Vierge, Balance ou Capricorne, elle produit peu ou pas d'enfants. Dans les autres signes, elle indique des inquiétudes, des ennuis et des chagrins causés par les enfants. Les domaines affectif et sentimental sont aussi perturbés par la présence de Saturne dans cette maison.

DANS LA MAISON 6:

Elle cause de graves maladies en l'absence d'aspects harmoniques. Dans les signes Fixes c'est le cœur, la vessie, le foie, l'estomac, la gorge et les bronches qui sont les plus vulnérables, et le natif peut souffrir de rhumatismes. Dans les signes Doubles, il faut craindre l'asthme, le cancer, les maladies intestinales, rénales et des problèmes aux jambes. Enfin dans les signes Cardinaux, elle annonce des ennuis à l'estomac, aux poumons et au foie. Il faut encore ajouter que dans cette maison, elle attire des difficultés avec les subalternes, les employés et les petits animaux domestiques.

DANS LA MAISON 7:

Elle donne un conjoint glacial, réservé, mélancolique. Dignifiée, elle présage un conjoint fortuné en argent et en propriétés, mais provoque le veuvage. Dans les signes Doubles, elle cause plusieurs mariages dont le premier, après 29 ans, qui pronostique que le conjoint mourra d'abord. Elle est défavorable aux associations et aux affaires juridiques.

DANS LA MAISON 8:

Elle indique la mort du père, mais aussi des ennuis légaux concernant un don, un legs, une succession ou un héritage, particulièrement si les maîtres des maisons 2 et 4 lui sont défavorables. Elle présage des tracas avec les autorités, les impôts, les assurances et annonce la mort par maladie chronique à un âge avancé.

DANS LA MAISON 9:

Elle procure le goût des études, de la philosophie et des sciences occultes, agit sur le caractère du sujet en le rendant rêveur, taciturne et pessimiste. Elle indique peu ou pas de chances lors de grands voyages et des risques accidentels, étant maléficiée par le Soleil ou la Lune. Si cette dernière est située dans l'ascendant en dissonance avec elle, le sujet est voyant, visionnaire ou somnambule.

DANS LA MAISON 10:

Bien disposée, elle donne l'ambition et le succès dans la vie, mais avec difficultés. L'élévation sociale est souvent suivie de revers. Maléficiée, elle annonce discrédit, revers de fortune, perte d'emploi, chômage et mort d'un parent qui est la mère si la planète est affligée par la Lune, ou le père en dissonance avec le Soleil.

DANS LA MAISON 11:

Elle pronostique la mort des enfants et provoque des amis infidèles qui attaqueront la fortune ou la réputation du natif.

DANS LA MAISON 12:

Elle procure beaucoup d'ennemis secrets, surtout en rétrogradation. Elle fait les procès criminels, l'emprisonnement et l'exil. *NB:* Ne pas oublier que située dans un signe favorable ou recevant un aspect harmonique de Jupiter, Saturne donne des biens stables et durables.

QUESTIONNAIRE SUR LE DOUZIÈME CHAPITRE

Domifiez la carte du ciel d'un sujet né le 26 juin 1950 à 13h30' dans la ville de Montréal. Les positions des astres étaient les suivantes:

Soleil:	94°	Lune à la naissance:	228°
Mercure:	79°	Vénus:	60°
Mars:	184°	Jupiter:	337°
Saturne:	163°		

Analysez cette carte en fonction de la position des planètes et des aspects qu'elles forment entre elles.

CHAPITRE XIII

AUTRES PLANÈTES

Dans le chapitre précédent nous avons étudié le comportement de Jupiter et de Saturne, poursuivons cette fois notre étude avec Uranus et Neptune. Nous jetterons, de plus, un bref regard du côté de la planète Pluton.

URANUS:

Avec cette planète nous entrons dans la série des astres que Ptolémée n'a pu codifier. Les traits caractéristiques de ces planètes ne s'appuient pas spécialement sur la tradition, mais bien plus sur une sorte d'extrapolation réalisée par des astrologues contemporains.

Découverte par Herschel en 1781, elle reçut d'une pléiade d'astronomes le nom d'Uranus. Les astrologues définirent ses influences de la façon suivante:

Elle est un facteur de l'imprévisible, des accidents, des bouleversements inattendus et de l'originalité. Le natif du type uranien est tourné vers l'avenir, vers les découvertes récentes. C'est un scientifique qui cherche à être différent du monde dans lequel il évolue. Il peut être créateur ou anarchiste.

La planète a élu domicile dans le signe du Verseau. Son exil est au Lion et sa chute dans le signe du Taureau. Elle est en exaltation dans le signe du Scorpion et en joie dans son propre domicile.

Après Neptune, c'est la planète la plus éloignée du Soleil. Établissant sa révolution autour du zodiaque en 84 ans, on la trouve souvent rétrograde. Électro-magnétique, elle produit des cataclysmes, des événements soudains et violents comme des tremblements de terre ou des accidents d'avions.

Sa couleur est bleutée et forme une sorte d'amalgame lumineux du type Vénus-Lune. Sa nature et ses influences sont surtout maléfiques, bien qu'harmonieusement aspectée elle soit favorable aux finances, aux arts, aux sciences et aux aventures extra-conjugales. Il faut toujours observer avec soin à l'ascendant les configurations qu'elle forme avec le maître de la vie, car certains aspects peuvent abréger sensiblement la longévité.

Placée dans l'Ascendant *(dans la maison 1)*, elle donne un caractère original, romanesque, instable, voire excentrique et curieux. Le natif possède une vive pénétration d'esprit.

Dans les signes de Feu, elle fait le natif impétueux et ambitieux.

Dans les signes de Terre, elle rend la personne entêtée, malicieuse, portée vers les plaisirs de la table et de la chair.

Dans les signes d'Air, elle apporte l'amour des sciences, des lettres et rend un peu orgueilleux.

Dans les signes d'Eau, elle incline à la débauche et à l'ivrognerie, tout en conservant au natif un caractère excentrique, qualité inhérente aux inventeurs.

Les sujets nés sous son influence sont rarement heureux bien que possédant une grande autorité sur les autres, surtout lorsque la planète est dominante.

DANS LA MAISON 2:

Sur le plan financier, elle entraîne de l'instabilité et des fluctuations sérieuses. La politique financière du natif est désordonnée ou, au contraire, très disciplinée. On dénote chez le sujet beaucoup d'audace dans les transactions monétaires mais peu de gains imprévus, des faillites surtout si elle est blessée par les luminaires.

DANS LA MAISON 3:

Elle fait aimer les promenades et les petits voyages; mais si elle est dissonante, elle entraîne des risques d'accident en véhicule motorisé. Les relations avec l'entourage, les voisins, les frères et les sœurs sont sujettes a de vives réactions parfois violentes. Cependant en bon aspect avec Mercure, elle est propice à l'acquisition de connaissances techniques modernes et hétérodoxes.

DANS LA MAISON 4:

Elle cause des ennuis de famille et attire des difficultés dans les transactions immobilières. Le natif sera indépendant de sa famille et pourra quitter cette ambiance domestique de manière inattendue. La planète rend encore le foyer instable, elle provoque de nombreux changements d'adresses, mais elle donne des goûts avant-gardistes dans la décoration.

DANS LA MAISON 5:

Elle crée les aventures extra-conjugales nombreuses, compliquées et sans suite. Elle entraîne les vexations sociales et incline à la sensualité, aux plaisirs, à la dissipation, surtout si elle est en aspects dissonants avec Mars ou Vénus. Au plan spéculatif, elle provoque la passion et fait dissiper les gains. Elle amène des grossesses avant mariage, mais aussi des fausses-couches, des naissances laborieuses et fait souvent mourir les enfants en bas-âge.

DANS LA MAISON 6:

Uranus entraîne des conflits entre patrons et serviteurs. Elle incite à la prudence dans l'emploi de médicaments et produit des diagnostics difficiles à établir dans les cas de maladies graves. Avec cette configuration, la santé est toujours fragile.

DANS LA MAISON 7:

Elle nuit aux associations et aux procès. En aspects dissonants avec la Lune, elle annonce un mariage tardif et malheureux à cause de conflits de personnalité. Elle crée en outre des tracas et des ennuis dans le foyer conjugal. Elle peut aussi provoquer l'adultère, la séparation et le divorce. Parfois elle conduit à l'union libre ou encore à une liaison avec une personne veuve ou divorcée.

DANS LA MAISON 8:

Elle est un indice de mort subite, mais cette planète nuit de plus à la fortune du conjoint. Cause des difficultés dans la séparation des héritages et des successions, elle peut aussi provoquer des interventions chirurgicales inattendues.

DANS LA MAISON 9:

La planète rend l'esprit fantasque, superstitieux et indépendant. Elle entraîne le goût des sciences occultes, fait aimer les grands voyages, mais cause des brouilles avec la famille du conjoint. En dissonance, elle peut être à l'origine des accidents d'avions.

DANS LA MAISON 10:

Honneurs et disgrâces se succèdent au niveau de la situation sociale et professionnelle. Le natif peut s'élever à des postes supérieurs, mais se retrouver rapidement discrédité. On dénote, avec une telle configuration, de la mésadaptation sociale profonde. Cependant, harmonieusement aspectée, la planète rend apte à jouer un rôle spécialisé ou à occuper un poste enviable dans une science de fine pointe.

DANS LA MAISON 11:

Les relations amicales sont originales et instables. Il en est de même pour les projets qui seront diversifiés et assez fragiles surtout si la planète est sans aspect. Les protections et les amitiés seront changeantes.

DANS LA MAISON 12:

Elle procure beaucoup de joies et d'envies. Elle entraîne des vols et des blessures qui peuvent être à l'origine d'interventions chirurgicales inattendues. Harmonieusement aspectée, Uranus prédispose à l'étude et à l'exploitation des sciences occultes.

NEPTUNE:

C'est la planète de l'imaginaire, de l'illusion, du mysticisme et de la croyance. Découverte en 1846 par l'astronome français Leverrier, elle parcourt le zodiaque en 160 ans environ, ce qui fait qu'elle reste 14 ans dans le même signe. Elle a un mouvement de rotation à l'inverse des autres planètes, soit d'est en ouest, exception faite d'Uranus qui tourne dans le même sens qu'elle.

Son domicile se situe dans le signe des Poissons, son exaltation est dans le Lion, elle est en exil dans le signe de la Vierge et sa chute est dans le Capricorne.

Négative et magnétique, son influence est encore mal connue; cependant Burgoyne, qui en son temps écrivit «la lumière d'Égypte», dépeint la planète comme une bénéfique de la nature de Vénus. Pour lui Neptune symbolise l'amour pur, l'idéal. Story et Hatfield par contre lui accordent un influx maléfique. Pour eux, la planète découverte le 23 septembre 1846 est à l'origine de la guerre de Crimée en 1854, alors que dans le Verseau elle était en conjonction avec Saturne.

Placée dans l'Ascendant, et suivant ces auteurs, Neptune dignifiée et en bon aspect avec le Soleil, la Lune ou Mercure rend le sujet agréable, curieux, réservé, loyal, astucieux, observateur, mais jaloux dans ses affections. Elle produit l'amour des voyages et le goût du changement de résidence, fait le natif peu prévoyant, dépensier et aimant la facilité.

Sur le plan professionnel, elle pousse vers la médecine dentaire, ou les variétés, surtout celles du cirque dans les disciplines telles que les fakirs, les jongleurs, les équilibristes, et produit les gérants de stations thermales ou les directeurs de théâtre.

En bonne configuration avec Mars, Neptune produit les médecins les magnétiseurs et les chimistes. Avec la Lune, elle donne les voyants et les chiromanciens.

DANS LA MAISON 1:

L'astre rend la personne efféminée, dissolue, et cause parfois, sans aspect, la débilité et la neurasthénie.

DANS LA MAISON 2:

Elle rend la situation financière cahotique, trouble, illicite, trompeuse; mais avec des aspects favorables elle apporte une chance insultante.

DANS LA MAISON 3:

Elle fait le natif sédentaire et cause quelques déplacements inattendus. Dans son exil ou sa chute, elle occasionne des accidents de bateau, des conflits avec le père ou la mère. L'entourage immédiat influence profondément le sujet sans que ce dernier s'en rende compte.

DANS LA MAISON 4:

La planète rend les relations familiales confuses et détériore la fortune du père ou de la mère. Dans cette maison elle est l'indice d'un exil, de la réclusion ou encore d'une fin de vie à l'étranger. Avec une telle configuration les transactions immobilières peuvent être illusoires.

DANS LA MAISON 5:

Sur le plan sentimental, les amours sont romanesques et la sensualité se mêle au mysticisme. Avec des dissonances majeures, les sentiments deviennent utopiques et l'on peut craindre des trahisons, des tromperies, des amours compliquées. Sur le plan spéculatif, il faut craindre quelques dépenses superflues, des habitudes de débauche et, au niveau des enfants, des problèmes singuliers pourront survenir entraînant des êtres chers vers la débilité profonde.

DANS LA MAISON 6:

Neptune porte à l'étude de la médecine, mais elle est négative dans les rapports patrons-employés. Sur le plan pathologique, elle est cause d'affections bilieuses, des voies urinaires, de l'estomac, du foie ou des intestins. Chez les femmes, elle occasionne des maladies de l'utérus, produit des fibromes, des cancers, de l'hystérie et de la neurasthénie.

DANS LA MAISON 7:

Elle rend les ménages désunis et est cause de séparations et de divorces. Généralement elle entraîne l'adultère et deux mariages. Les procès, dont elle est à l'origine, sont scandaleux et les associations franchement défavorables. Affligée par Saturne ou par Uranus, elle présage la mort rapide du conjoint.

DANS LA MAISON 8:

Elle est défavorable aux héritages, aux contrats, aux affaires avec les associés. Elle provoque la mort soudaine à la suite d'une maladie de courte durée, comme celle causée par le poison, la main de l'homme, un accident ou une noyade. Sur le plan sexuel, elle entraîne des problèmes de mysticisme.

DANS LA MAISON 9:

Elle donne de la compréhension intuitive et un grand pouvoir spirituel. Les croyances religieuses du natif sont particulièrement importantes et le sujet a des dispositions pour l'étude des sciences occultes. Il est, de plus, doté de pouvoirs de clairvoyance et fait fréquemment des rêves prémonitoires ou prophétiques.

DANS LA MAISON 10:

Si elle est bien disposée, la planète présage des succès souvent suivis de revers. Le succès se fait généralement par des moyens inédits. S'il est par contre en dissonance, il fait craindre des scandales, des situations confuses, des compromis. Il fait aussi les grands voyageurs.

DANS LA MAISON 11:

Elle fait mal choisir les amis et perdre ensuite ces relations. Les amis ont beaucoup d'ascendance sur le sujet, laquelle est bénéfique si la planète est harmonique et décevante si l'inverse se produit. Il faut encore craindre les abus de confiance avec une telle configuration.

DANS LA MAISON 12:

En dissonance, le tempérament est sensuel et crée l'hostilité du milieu social. Elle fait craindre les guet-apens, les trahisons et peut même entraîner de sérieux problèmes de santé à caractère épidémique. Elle indique des peines d'emprisonnement ou d'internement dans un hôpital ou dans un asile. En harmonie avec les luminaires, elle est favorable aux maisons avec lesquelles elle est en aspect.

PLUTON:

La planète est encore sujette à caution. Elle fut établie par le calcul dès 1910 mais isolée des étoiles en 1930. C'est grâce aux travaux de l'astronome Clyde Tombaugh que l'on parvint à la remarquer et son symbole PL n'est rien d'autre que les initiales du mathématicien Percival Lowell qui découvrit mathématiquement son existence.

En fait, il s'est écoulé une cinquantaine d'années depuis sa découverte, et à ce jour les astrologues n'ont pu se mettre d'accord sur ses influences, pas plus que sur son signe zodiacal. Pour certains, elle est maîtresse du Scorpion mais pour d'autres elle règne sur la Balance. Enfin, pour une troisième école, elle dirige le signe du Sagittaire.

Certains la pensent bénéfique, d'autres maléfique. Il est donc préférable de n'en rien dire pour le moment, d'autant plus qu'elle est la seule planète à posséder une orbite située hors du zodiaque et qu'il n'est pas certain qu'astrologiquement elle influence les humains.

QUESTIONNAIRE SUR LE TREIZIÈME CHAPITRE

Domifiez la carte du ciel natale d'une personne née le 26 avril 1957 à 10h10' dans la ville de Montréal. Analysez les maisons occupées par les planètes en fonction des positions fictives suivantes:

Soleil:	6° Taureau		Jupiter:	23° Vierge
Lune:	27° Poissons		Saturne:	13° Sagittaire
Mercure:	19° Taureau		Uranus:	3° Lion
Vénus:	8° Taureau		Neptune:	1° Scorpion
Mars:	28° Gémeaux			

CHAPITRE XIV

LES CLÉS DE L'INTERPRÉTATION

Autrefois on appelait l'interprétation générale d'une carte du ciel, faire de l'astrologie judiciaire. Cette méthode de travail, basée sur des aphorismes traditionnels, a été mise au point par tous les grands maîtres de la Science des Astres et cela tout au long des siècles. Il est absolument nécessaire de savoir dégager d'une carte du ciel les lignes principales qui permettront l'interprétation des facteurs astrologiques. On peut utiliser pour ce faire des «verbo-moteurs» qui déclenchent automatiquement dans l'esprit du praticien des images entraînant une analyse vraisemblable.

Il nous faut donc apprendre parfaitement les mots clés des maisons, des signes, des planètes et luminaires et des aspects.

LES MAISONS

La première:	Caractère et personnalité, la santé.
La deuxième:	Les intérêts et les gains.
La troisième:	L'entourage, les écrits, les déplacements.
La quatrième:	Le foyer familial, le patrimoine, les parents directs, la fin et le début d'événements.
La cinquième:	Les enfants, les amours, les jeux et spéculations.
La sixième:	Les contraintes, les maladies, le travail quotidien.
La septième:	Le mariage, les associations, les engagements.
La huitième:	Les chagrins, les deuils, les biens imprévus.
La neuvième:	Les voyages et les relations extérieures.

La dixième:	La situation et les choses importantes.
La onzième:	Les projets, les amis et les protecteurs.
La douzième:	Les antagonismes, les secrets, les ennemis, les épreuves.

LES SIGNES

BÉLIER:	Emballements, initiatives et énergie.
TAUREAU:	Les gros efforts, le travail et les gains d'argent.
GÉMEAUX:	Les démarches, les relations et les demandes écrites.
CANCER:	L'instabilité, les souvenirs et les caprices.
LION:	L'affection, la sympathie et l'amour.
VIERGE:	La contrainte, les soucis et les biens meubles et immeubles.
BALANCE:	Les affaires légales et les engagements.
SCORPION:	La maladie, les tracas et les inimitiés.
SAGITTAIRE:	Les projets, les mutations et les ambitions.
CAPRICORNE:	Les avantages et les réalisations lentes.
VERSEAU:	Les aides et soutiens et les protections.
POISSONS:	Les retards et les difficultés.

LES PLANÈTES ET LUMINAIRES

NEPTUNE:	Le chaos, les mensonges et les complications.
URANUS:	L'originalité, la rapidité, l'inattendu, l'éclatement.
SATURNE:	Le retard, la finalité, les obstacles matériels.
JUPITER:	La prépondérance et l'argent.
MARS:	Les luttes et les activités.
SOLEIL:	La bienveillance et les faveurs.
VÉNUS:	Les arts, les plaisirs et les sentiments.
MERCURE:	L'intellectualité et les affaires.
LA LUNE:	Les utopies et les changements.

LES ASPECTS

CONJONCTION:	Mélange et fusion entre deux planètes.
SEXTILE:	Idées de rapport, de relation et de contact.
TRIGONE:	Idées d'amour, de fructification et d'amitié.

CARRÉ:	Idées d'obstacle, de heurt et de contradiction.
OPPOSITION:	Opposition, obstacle, heurt et association.
QUINCONCE (Quincunx):	Idées de servitude, d'abaissement et de contra-riété.

En ce qui concerne les aspects mineurs, les mots clés sont identiques à ceux des aspects majeurs.

À titre d'exemple, supposons que les augures sidéraux sont ceux figurant ci-dessous:

Mars et Uranus conjoints en maison 5 dans le Verseau, en trigones au Soleil conjoint à Vénus, en maison 9.

L'analyse pourrait être la suivante:

En matière de spéculations et jeux de hasard (maison 5), les activités (Mars) inattendues et soudaines de valeurs électriques (Uranus) ou aéronautiques seront appuyées ou soutenues (trigone) par la faveur et la bienveillance (Soleil) de personnes du sexe féminin (Vénus) occupant une situation importante dans le domaine des relations étrangères (maison 9).

LES MAISONS DÉRIVÉES:

Nous avons déjà étudié la signification des différentes maisons astrologiques; cependant ces secteurs représentent aussi des renseignements plus précis concernant les sujets qu'elles évoquent.

La maison 1:

C'est ainsi que la maison 1 indique les coffres-forts, les menaces de pertes financières et le trésor privé. Elle procure les appuis des frères ou des sœurs, ce que ces derniers espèrent. Elle nous renseigne sur la grand-mère paternelle, les voyages des enfants, la mort des serviteurs ou des petits animaux. C'est elle qui représente la guérison des maladies, les receleurs, les bandes criminelles, le médecin légiste, les employés de salons mortuaires, les fossoyeurs. Le grand-père maternel, la source des honneurs et de la situation, le lieu de la retraite sont indiqués par cette maison tout comme elle montre les frères des amis, les moyens de transport et les gains procurés par les grands animaux.

La maison 2:

C'est elle qui représente les ennemis secrets des frères et les malheurs qui peuvent frapper ces derniers. Elle indique les protecteurs du père, le tuteur, le curateur. Elle nous informe sur la mort du conjoint, du voleur, de l'ennemi déclaré, de l'associé et des héritages de ces derniers. Les ennuis et les retards en voyage nous sont présentés par cette maison tout comme les éventuelles divisions et querelles dans les partis et les sectes.

La maison 3:

Elle renseigne sur l'intérêt de l'argent, les ennemis ignorés du père et sur ceux qui convoitent et recherchent les trésors. On apprend par elle ce que sont les amis des enfants, ceux de l'amant, les compagnons de plaisir, l'intendant du domaine. On peut y lire les opinions de l'adversaire du conjoint ou de l'associé, celles du compagnon de voyage. On y trouve les maladies de la mère et tout ce qui peut compromettre la situation ou retarder l'avancement dans l'emploi.

La maison 4:

C'est elle qui indique les mouvements d'argent et les fluctuations de la presse financière, les droits d'auteur, les gains littéraires. Elle montre aussi les jaloux, les envieux surtout dans le domaine sentimental. Elle dévoile la fatigue excessive, les événements importants dans une entente, une liaison ou un accord, les luttes pour la situation ou les honneurs, le désistement du pouvoir ou d'une fonction.

La maison 5:

Elle représente la source des biens, le climat des sociétés dans lesquelles on est partie prenante, les copies des manuscrits, les traductions, les rééditions littéraires. Elle signifie aussi les biens du père, sa fortune et ses chances financières. Elle nous dévoile les crimes cachés commis par les serviteurs et aussi les amis, et les espérances du conjoint ou de l'associé. La transformation de la situation professionnelle est indiquée par cette maison tout comme la cause du décès de la mère, les contrats de travail, la nature des clubs ou associations amicales.

La maison 6:

C'est l'intérêt de l'argent et les gains de la personne aimée. Elle donne le prétexte aux voyages, renseigne sur les oncles et les tantes, sur les gains aux jeux et dévoile les dépenses en matière de plaisir. On peut y déceler les espoirs d'héritage, les honneurs religieux, la mort des amis et des protecteurs, la fin des protections, les dettes et les complices des ennemis cachés.

La maison 7:

Elle provoque les mauvais placements et rend les aliments avariés. Elle désigne les neveux et les nièces, les joies littéraires et le grand-père paternel. Elle marque l'entente entre les enfants, le climat des sorties avec l'être aimé. C'est elle qui nous donne des précisions sur le médecin, le lieu où se trouve le cadavre d'un disparu. Elle représente aussi la grand-mère maternelle, la mort des ennemis secrets ou ignorés.

La maison 8:

Elle indique les commanditaires, les vols d'argent, les épidémies et les maladies contagieuses. Elle dévoile la fin ultime des amours et des liaisons et renseigne sur les lieux de plaisir, les tripots, les casinos. Elle représente encore le transport public, l'argent de l'associé ou du conjoint, les pensions alimentaires, les dommages et intérêts. Elle signifie aussi l'argent des voleurs et des escrocs, les gains résultant d'un contrat et les obstacles imprévus aux voyages.

La maison 9:

Elle renseigne sur l'épuisement du salaire, les faillites, le divorce des frères. On la consulte pour connaître les modalités des contrats d'édition, les collaborateurs littéraires, les critiques hostiles. On y trouve encore les maladies du père et celles qui marquent la fin de la vie. On peut aussi y déceler la fidélité ou l'infidélité des gens que nous aimons et leurs tendances sentimentales. Les beaux-frères et les belles-sœurs par alliance, les rapports des successions, la puissance des ennemis et enfin la correspondance du conjoint, de l'associé, de l'amant ou de la maîtresse y sont contenus.

La maison 10:

C'est par elle que nous apprenons l'issue offerte aux déplacements des capitaux, la mort des frères, des voisins, des camarades. Elle indique la nature des procès du père, la maladie des enfants ou de la personne aimée, celles causées par les abus de plaisirs. Les hommes de loi comme les notaires sont représentés par cette maison tout comme la fin des procès, des accords et des liaisons sentimentales. Elle est aussi le champ de bataille, le stade, le ring, le sommeil, le testament et enfin, le travail des enfants ou de la personne aimée.

La maison 11:

Elle renseigne sur les financiers importants, les voyages des frères, des voisins et des camarades. Elle indique la mort du père, la disparition des héritages, les effets des talismans que l'on se doit de porter, le gendre et la bru. C'est par elle que l'on apprend les conditions d'entente ayant trait aux plaisirs et aux amours. Elle représente aussi l'enfant du conjoint, les amours de l'amant ou de la maîtresse, les cimetières et les scandales des adversaires cachés.

La maison 12:

Elle indique les honneurs des frères des voisins et des camarades. Les éditeurs, l'opinion du père et ses voyages s'y retrouvent. On y décèle la mort des enfants, celle de l'être aimé, les maladies du conjoint, de l'associé, de l'amant ou de la maîtresse. On y découvre les vices de forme d'un contrat, les oncles et tantes paternels du conjoint, les déplacements de la mère lorsqu'il s'agit d'un thème masculin et enfin, l'argent des amis et des protecteurs.

REMARQUE:

On doit se souvenir que la maison 4 représente le père dans un thème masculin et la maison 10 représente la mère. Dans un thème féminin, la tradition astrologique donne la maison 4 pour indiquer la mère et la 10, pour ce qui se rapporte au père.

QUESTIONNAIRE SUR LE QUATORZIÈME CHAPITRE

En utilisant les clés d'interprétation, analysez les augures suivants:

1) Saturne dans la maison 3 se trouve en Scorpion et forme un trigone à Uranus dans le Lion et en maison 11.

2) Mercure dans le signe du Capricorne domine la maison 5 et forme une opposition à Uranus dans le Lion en maison 11.

3) Jupiter est conjoint à la Lune en maison 12 dans le signe de la Vierge et forme avec le Soleil un trigone. Le luminaire est dans le signe du Capricorne en maison 4.

CHAPITRE XV

LES MAISONS VIDES

L'étude d'un thème astrologique présentera toujours des «maisons vides», c'est-à-dire ne contenant aucune signification astrologique. En effet, nous avons huit planètes ou luminaires et douze secteurs à analyser, donc invariablement certains secteurs de la carte du ciel seront vides de planètes. Cela ne signifie pas que ces secteurs n'ont aucune valeur dans la vie du sujet, mais plutôt que leur importance sur sa destinée sera réduite. Ils ne sont pas pour autant à dédaigner.

Plusieurs solutions ont été envisagées pour pallier le problème des maisons vides. Pour certains astrologues, l'analyse de ces secteurs par la nature du signe où se trouve la cuspide donne des résultats plus ou moins satisfaisants. D'autres astrologues travaillent avec une méthode dite «des maîtrises». C'est cette démarche que nous avons choisie parmi plusieurs autres solutions, quoique toutes sont sujettes à caution.

Nous le savons, chaque signe zodiacal possède une planète maîtresse. Par exemple, Saturne est maîtresse du Capricorne tandis que Jupiter gouverne le signe du Sagittaire. Lorsqu'un secteur ne contient pas de planète, nous devons nous reporter sur celui qui contient la planète maîtresse du secteur intéressé et faire l'analyse ainsi:

Supposons par exemple que le secteur 2 d'une carte du ciel soit vide et que sa cuspide se trouve dans le signe du Taureau. Nous savons que la maîtresse du Taureau est la planète Vénus, nous devons donc effectuer nos recherches sur la carte où se situe Vénus. Si elle se trouve en maison 5 et qu'elle ne reçoive pas de dissonance, nous pourrons conclure que les gains et les acquisitions en provenance des spéculations et des jeux de hasard seront favorables au sujet.

Pour analyser il faut donc connaître, avant toute autre chose, quelles sont les planètes maîtresses des différents signes du zodiaque. La figure ci-dessous nous indique chaque signe et sa planète maîtresse correspondante:

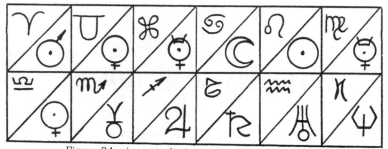

Figure 24: signe et planète maîtresse correspondante

LE MAÎTRE DE LA PREMIÈRE MAISON PLACÉ DANS:

La maison 2:

Gains, succès et richesses seront acquis grâce à l'esprit d'initiative du natif.

La maison 3:

Les petits déplacements et les voyages de courte durée seront nombreux et profitables s'il n'y a pas de dissonance. L'entente entre frères, sœurs et voisins sera nettement favorable.

La maison 4:

Grâce à des transactions immobilières, des gains, des héritages, des dons ou des legs, le sujet s'assurera une fin de vie heureuse.

La maison 5:

Si aucune dissonance ne vient perturber le maître de la maison 1 dans le secteur 5, le sujet sera comblé à plusieurs niveaux: loisirs, plaisirs, jeux, spéculations financières, enfants.

La maison 6:

En l'absence de dissonance, les maladies éventuelles ne seront que bénignes. Dans le cas contraire, elles pourraient être assez graves.

La maison 7:

Beaucoup d'ennuis sont à craindre. Ils peuvent venir d'ennemis qui n'hésiteront pas à mettre des obstacles sur le chemin du sujet. Le secteur conjugal risque lui aussi d'être perturbé.

La maison 8:

Le sujet fera sans doute un héritage, recevra un don ou fera un mariage avantageux. Sa vie pourra cependant être brève et l'on constatera dans son comportement des tendances suicidaires.

La maison 9:

L'amour des lettres et des sciences, en plus d'un immense désir de s'instruire, seront des qualités importantes. Les voyages à l'étranger seront heureux et profitables.

La maison 10:

Les qualités naturelles du sujet lui assureront réussite, succès et honneurs.

La maison 11:

Le natif bénéficiera de nombreux appuis et protections sur lesquels il pourra compter en temps voulu.

La maison 12:

Il faut craindre les ennuis, les chagrins, et parfois des dangers d'emprisonnement, surtout si le maître de l'ascendant se trouve en douzième maison avec des aspects dissonants.

LE MAÎTRE DE LA DEUXIÈME MAISON PLACÉ DANS:

La maison 1:

Il assure le succès dans les entreprises.

La maison 3:

Il procure des gains par l'intermédiaire des frères et des sœurs et aussi par de petits voyages.

La maison 4:

Il accorde un patrimoine et des biens assez importants et donne des facilités dans les transactions immobilières.

La maison 5:

On peut prévoir des succès dans les transactions ou opérations boursières mais aussi dans toutes les professions touchant à l'art en général, le théâtre, le music-hall, etc.

La maison 6:

Si le sujet est intéressé par l'élevage des petits animaux, il a de fortes chances d'y faire des affaires d'or.

La maison 7:

La richesse est acquise par le mariage ou les associations, mais il devra toutefois envisager certains procès dus à ce genre d'alliances plus ou moins favorables.

La maison 8:

Des gains en provenance du mariage sont à prévoir.

La maison 9:

Écrire un livre de sciences sera avantageux, particulièrement si le volume est édité à l'étranger. Sur le plan financier, les voyages auront des conséquences positives.

La maison 10:

L'emploi du natif sera fort lucratif.

La maison 11:

Protecteurs et amis aideront le sujet à réaliser de nombreux profits.

La maison 12:

Il faut craindre certaines pertes d'argent dues à des ennemis cachés. Il faudrait éviter, avec une telle configuration, d'entreprendre une exploitation commerciale en rapport avec les grands animaux tels que les bœufs, les chevaux de foires ou de cirques, etc.

LE MAÎTRE DE LA TROISIÈME MAISON PLACÉ DANS:

La maison 1:

Les petits voyages de plaisirs seront profitables.

La maison 2:

Grâce à l'intervention des frères, sœurs ou voisins, le natif réalisera des profits au cours de déplacements.

La maison 4:

Au cours de sa vie, le sujet devra voyager en vue d'entrer en possession d'un héritage, d'un legs ou d'une succession.

La maison 5:

Les voyages d'affaires ou les écrits donneront au natif des plaisirs et de l'agrément.

La maison 6:

Les déplacements ne seront pas exempts de maladies ou d'accidents et l'on peut prévoir une cure dans une station thermale.

La maison 7:

Le sujet pourra éventuellement épouser une personne résidant dans une ville différente de la sienne et cela, à la suite d'un voyage. Si la planète maîtresse de la maison 3 se trouve dans cette maison, on peut craindre un vol au cours d'un déplacement.

La maison 8:

Un déplacement suite au décès d'un membre de la famille pourrait être fatal pour le natif. La prudence est conseillée avec un tel augure.

La maison 9:

Les frères ou sœurs du sujet pourraient fort bien, au cours de leur existence, quitter leur pays natal pour s'établir dans un pays étranger.

La maison 10:

Il est indiscutable que les grands voyages auront une grande importance sur la vie professionnelle du natif, sur son crédit et sa popularité.

La maison 11:

Lors de voyages de courte durée, le sujet pourra faire la rencontre de personnes qui deviendront ses amis et ses protecteurs.

La maison 12:

Deux cas sont à envisager: si la planète est dissonante, les voyages seront dangereux et parfois malheureux. Si elle est harmonique l'exploitation des grands animaux sera avantageuse.

LE MAÎTRE DE LA QUATRIÈME MAISON PLACÉ DANS:

La maison 1:

Il accorde des héritages importants et des biens immobiliers.

La maison 2:

Le sujet recevra une rente ou une pension de sa famille. Il peut aussi faire fortune grâce à des transactions immobilières.

La maison 3:

La fortune viendra suite à de petits déplacements ou à la mort du père.

La maison 5:

Le sujet laissera son patrimoine à ses enfants et ceux-ci en jouiront à la condition que le maître de la maison 4 ne fasse pas de dissonance avec le maître de la maison 5.

La maison 6:

Les soins prodigués aux malades seront financièrement avantageux.

La maison 7:

C'est par le mariage ou une association que le sujet fera fortune.

La maison 8:

Les dons ou héritages seront la principale source de richesse du sujet.

La maison 9:

La fortune sera faite dans l'import-export mais aussi dans un commerce pouvant avoir rapport avec les religions.

La maison 10:

L'avenir du sujet se trouve dans les postes de direction. Il sera administrateur ou directeur d'un domaine agricole ou d'une maison de courtage immobilier.

La maison 11:

C'est avec l'aide d'amis ou de protections que l'aisance viendra au sujet.

La maison 12:

La fortune est acquise par le commerce d'animaux, par le fermage ou la location de propriétés ou encore par l'administration d'un asile, d'une maison de santé ou d'une prison.

LE MAÎTRE DE LA CINQUIÈME MAISON PLACÉ DANS:

La maison 1:

Le sujet sera respecté de ses enfants qui seront par ailleurs très affectueux. Il pourrait aussi prendre goût aux jeux, aux sports et aux spéculations qui ne se révéleront pas toujours très heureuses.

La maison 2:

La fortune sera accrue par les enfants, le jeu, les spéculations ou l'exploitation de lieux de plaisirs à condition que le maître de la cinquième maison soit en bon aspect. S'il est en dissonance elle sera diminuée.

La maison 3:

Le sujet pourra avoir des voyages à effectuer pour ses enfants.

La maison 4:

L'héritage paternel se constituera petit à petit et les enfants en profiteront tranquillement.

La maison 6:

Les enfants bien qu'industrieux causeront beaucoup d'ennuis au sujet. Sa santé risquera d'en subir les contrecoups.

La maison 7:

Des mésententes entre le natif et son conjoint pourraient avoir lieu concernant les enfants et on peut noter des risques sérieux de brouilles ou de spéculations pouvant entraîner un procès.

La maison 8:

La santé des enfants sera particulièrement délicate et ils pourront courir de grands dangers.

La maison 9:

Les enfants seront très studieux et pourraient bien être tentés par la prêtrise. Leur goût des voyages sera aussi très prononcé.

La maison 10:

Les enfants, les spéculations ou les lieux de plaisirs peuvent amener des honneurs si le maître de la cinquième saison est harmonique. Le discrédit résultera de la dissonance.

La maison 11:

Le sujet et ses enfants seront très solidaires les uns des autres et une grande affection les unira.

La maison 12:

Les enfants seront peu nombreux et causeront beaucoup de soucis aux parents. L'abus de plaisirs pourrait être à l'origine de certaines maladies.

LE MAÎTRE DE LA SIXIÈME MAISON PLACÉ DANS:

La maison 1:

La vie irrégulière du natif pourrait le rendre malade.

La maison 2:

La fortune sera compromise. Une situation pécunière embarrassante pourra affecter l'état de santé du sujet.

La maison 3:

Des soucis causés par les frères, sœurs ou voisins pourront entraîner un état de santé déficient. Le natif pourra être atteint de mononucléose.

La maison 4:

Un procès pour l'obtention d'un héritage affligera le natif et entraînera chez lui des indispositions passagères.

La maison 5:

Des malheurs arrivant aux enfants se répercuteront sur la santé du sujet.

La maison 7:

Des querelles d'affaires ou encore des disputes conjugales pourraient bien se régler devant le juge et rendre le natif très malade.

La maison 8:

Des maladies dangereuses peuvent affliger le sujet. Le maître de la maison 6 en secteur 8 et en aspect dissonant avec le maître de l'ascendant peut entraîner la mort.

La maison 9:

Après un long voyage en mer ou dans les airs, le natif pourra contracter une maladie sérieuse.

La maison 10:

Le discrédit et la disgrâce risquent de compromettre la santé du sujet, mais un excès de travail pourrait bien produire les mêmes effets.

La maison 11:

Une erreur de diagnostic, de mauvais soins, des projets ruinés ou déçus peuvent aggraver l'état de santé du malade.

La maison 12:

Des chagrins et des vexations risquent d'altérer la santé du sujet et entraîner son hospitalisation.

LE MAÎTRE DE LA SEPTIÈME MAISON PLACÉ DANS:

La maison 1:

Il prédispose à une bonne entente dans le ménage et présage une femme fidèle et aimante. Si le maître de la septième maison est affligé, des ennemis causeront des tracas et des procès dont l'issue sera malheureuse.

La maison 2:

Les associations ou le mariage peuvent amener la richesse ou la pauvreté du sujet selon les aspects du maître de la maison 7.

La maison 3:

Des querelles avec les frères, les sœurs ou les voisins peuvent nuire au sujet.

La maison 4:

Il prédispose à un héritage par mariage ou association sentimentale.

La maison 5:

Le natif pourra être riche et vertueux, mais il aura tendance à connaître des brouilles avec ses enfants.

La maison 6:

Le conjoint sera de constitution maladive et source d'affliction pour le natif.

La maison 8:

Le sujet ou son conjoint pourrait apporter une dot importante, mais il y aura des difficultés à propos d'une succession.

La maison 9:

Le sujet pourrait bien prendre un conjoint d'une autre nationalité. Si le maître de la septième maison est dissonant, des mésententes avec la famille du conjoint sont possibles.

La maison 10:

Le conjoint du natif pourrait être très riche et noble. Le natif pourrait aussi accéder à de hautes fonctions grâce au mariage. Si le maître de la septième maison est mal aspecté en secteur dix, le natif pourra perdre son emploi par la faute de son conjoint.

La maison 11:

Si les aspects sont harmoniques, une vieille amitié pourrait mener à un mariage. Dans le cas contraire, une querelle entre amis n'est plus exclue.

La maison 12:

Le mariage risque d'entraîner des disputes, des chagrins, des misères, voire des procès.

LE MAÎTRE DE LA HUITIÈME MAISON PLACÉ DANS:

La maison 1:

Il prédispose aux dangers de mort par excès ou par suicide.

La maison 2:

Il entraîne des legs, dons ou héritages assez importants et en rapport direct avec l'argent. Il indique aussi des retours d'impôts ou encore des règlements d'assurance.

La maison 3:

Le natif court des dangers, peut être tué ou blessé à l'extérieur de son domicile. Il peut aussi être battu par un proche: frère, parent, voisin.

La maison 4:

Si le maître de la huitième maison est dissonant, la perte du patrimoine peut entraîner la mort du natif. S'il est harmonique le natif aura une mort tranquille au milieu de ses biens et propriétés.

La maison 5:

La mort peut provenir d'excès faits dans des lieux de plaisirs ou encore être causée par des enfants. Les jeux et spéculations malheureux peuvent aussi entraîner le suicide du sujet.

La maison 6:

Le natif pourra être atteint d'une maladie incurable.

La maison 7:

La peine occasionnée par le décès d'un être cher peut entraîner la mort si le maître de la maison huit se trouve en secteur sept. Elle peut également survenir suite à une querelle ou un assassinat.

La maison 9:

La mort risque de survenir en pays étranger ou au cours d'un grand voyage.

La maison 10:

Une sentence peut entraîner la mort, c'est la peine capitale.

La maison 11:

Selon les dispositions du maître de la huitième maison en secteur onze, le sujet peut hériter d'un ami ou si les aspects sont dissonants, il contractera une maladie mortelle au contact de ses relations.

La maison 12:

Les ennemis, les grands animaux, une longue maladie peuvent causer la mort, qui peut aussi survenir en prison ou dans un hôpital.

LE MAÎTRE DE LA NEUVIÈME MAISON PLACÉ DANS:

La maison 1:

Le natif désire s'instruire et voyager. Son goût pour les lettres et les sciences est très prononcé. Son esprit est religieux et contemplatif.

La maison 2:

Le sujet fait fortune par le biais de la religion et grâce à son instruction. Les voyages lui sont profitables.

La maison 3:

Le sujet pourra devenir chef de parti politique ou grand religieux. Il fera fortune par l'intermédiaire de ses frères ou de ses parents suite à des voyages très lucratifs.

La maison 4:

Le natif voyagera pour recueillir l'héritage d'un parent ecclésiastique.

La maison 5:

Le sujet peu religieux sera porté vers les lieux de plaisirs et les voyages. Ses enfants pourront étudier à l'étranger et le natif lui-même pourrait y exploiter un commerce.

La maison 6:

Les longs voyages affaibliront la santé du natif. Il pourra occuper un emploi modeste dans une église ou épouser une femme de basse condition.

La maison 7:

Les voyages à l'étranger se feront en compagnie du conjoint. Pour les célibataires, cela signifie un éventuel mariage avec une partenaire d'un autre pays. Enfin une association avec des étrangers ou des religieux est envisageable.

La maison 8:

Le maître de la neuvième maison en secteur huit peut signifier la mort en pays étranger.

La maison 10:

Le natif peut s'attendre à un grand destin. Il accédera à de hautes fonctions et sa bonne réputation sera solidement bâtie dans son pays comme à l'étranger. On retrouve cette configuration particulièrement chez les immigrants et les ambassadeurs.

La maison 11:

Au cours de ses voyages, le natif se fera de nombreux amis dans différentes contrées et pourra mettre sur pied des projets d'envergure internationale.

La maison 12:

Lors de longs séjours à l'étranger, les risques d'accidents ou de mauvaises rencontres sont accrus. Des persécutions religieuses peuvent aussi troubler l'esprit du natif.

LE MAÎTRE DE LA DIXIÈME MAISON PLACÉ DANS:

La maison 1:

Il prédispose aux honneurs et à la prospérité. Le natif aura de la chance au travail et parviendra à une situation enviable grâce à sa personnalité.

La maison 2:

La fortune du sujet lui viendra de son travail.

La maison 3:

La famille et les amis du sujet l'estimeront et le considéreront. Il pourra travailler au sein d'une municipalité ou dans une affaire légale. C'est l'augure des courtiers et facteurs.

La maison 4:

La valeur de l'argent sera connue du natif. Par une sage exploitation de son patrimoine, il augmentera ses avoirs, aidé pour cela par un héritage foncier important.

La maison 5:

La fortune du sujet pourra être acquise par des spéculations heureuses ou par l'exploitation d'un commerce (café, restaurant, théâtre). Les enfants réussiront aussi leur vie.

La maison 6:

Le natif aura des difficultés à se créer une situation et sa santé pourra être compromise par le surmenage. Il pourra entre autres choses devenir un médecin réputé.

La maison 7:

La fortune du conjoint pourra aider le sujet à atteindre une situation sociale et professionnelle des plus en vue.

La maison 8:

Les legs, les héritages, le mariage, une entreprise de pompes funèbres peuvent procurer la fortune au sujet, mais il devra craindre une mort violente.

La maison 9:

Les voyages, l'instruction ou la religion procureront une situation honorable et stable au natif.

La maison 11:

La situation sociale et professionnelle sera favorisée par de puissantes relations et de grandes protections.

La maison 12:

La ruine, le discrédit, l'emprisonnement peuvent accabler le sujet.

LE MAÎTRE DE LA ONZIÈME MAISON PLACÉ DANS:

La maison 1:

Le sujet obtiendra des satisfactions de la part de ses amis, car il sera entouré de personnes sincères et serviables. Ses entreprises seront très heureuses, vouées à la réussite et ses projets seront sains et agréables.

La maison 2:

Les amis du natif apporteront leur concours sur le plan financier. Ils sauront lui témoigner confiance et désintéressement.

La maison 3:

Le natif sera estimé de tous les siens et honoré par son entourage immédiat. Les petits voyages qu'il effectuera seront fructueux et ses écrits appréciés du public.

La maison 4:

Une entente parfaite régnera entre ses père ou mère et le sujet lui-même. Il obtiendra un riche patrimoine qu'il saura faire fructifier honnêtement.

La maison 5:

Le natif saura faire des opérations financières heureuses et les problèmes spéculatifs seront inexistants. Ses enfants lui apporteront des satisfactions et ils seront respectueux à son égard.

La maison 6:

En général la santé du natif sera bonne. S'il est patron, ses employés seront honnêtes.

La maison 7:

Le sujet aura une épouse compréhensive et dévouée. Il aura la chance de posséder très peu d'ennemis et gagnera la majorité de ses affaires juridiques. En association avec des amis, il n'aura pas d'échec.

La maison 8:

Le natif connaîtra une mort paisible.

La maison 9:

Les amitiés du sujet seront orientées vers des gens d'église. Il saura créer des relations sincères au cours de voyages ou encore pendant ses études.

La maison 10:

De puissantes relations désintéressées favoriseront la fortune du sujet.

La maison 12:

Le sujet éprouvera des peines et des chagrins causés par de faux amis ou par l'ingratitude de son entourage professionnel. Il est aussi possible qu'il soit affecté par des malheurs qui frappent ses propres amis, si le reste du thème le confirme.

LE MAÎTRE DE LA DOUZIÈME MAISON PLACÉ DANS:

La maison 1:

Le natif aura à subir des épreuves de toutes sortes: peines, humiliations, ennuis, dangers, risques d'emprisonnement ou de maladies mentales.

La maison 2:

La vie sera difficile sur le plan financier: la pauvreté ou la ruine pourrait bien être l'état ordinaire du sujet.

La maison 3:

Le voisinage sera hostile au natif et l'entente sera difficile au sein de la famille.

La maison 4:

Le natif pourrait être déshérité par son père à cause d'une brouille. Un procès risque de lui faire perdre tous ses biens.

La maison 5:

Les enfants seront ingrats et mauvais sujets. Les spéculations ne sont pas à conseiller, car des grosses pertes sont possibles.

La maison 6:

Des maladies graves et nombreuses affecteront le natif tandis que ses serviteurs lui seront infidèles.

La maison 7:

La femme du sujet risque de lui causer de graves ennuis. Les procès seront ruineux et des gens vulgaires le tiendront responsable de leurs ennuis et de leurs échecs.

La maison 8:

De grands malheurs affecteront le natif qui pourra mourir misérablement.

La maison 9:

Le sujet accomplira des voyages dangereux. Les études et les travaux scientifiques seront voués à l'échec et le natif lui-même pourra être emprisonné pour ses écrits.

La maison 10:

Des envieux causeront la disgrâce du natif. La ruine et le chômage sont aussi à redouter.

La maison 11:

Le sujet se fera des amis auxquels il aura tort de faire confiance, car ces derniers lui seront préjudiciables.

QUESTIONNAIRE SUR LE QUINZIÈME CHAPITRE

Domifiez la carte du ciel d'une personne née le 8 novembre 1943 à 6h13' dans la ville de Montréal. Dites ce que cette personne peut attendre du secteur financier, de celui des transactions immobilières, sachant que les astres étaient ainsi situés:

Vénus: 122° – Mars: 80° – Mercure: 205° – La Lune: 25° – Jupiter: 105° – Saturne: 50° – Uranus: 285°.

CHAPITRE XVI

LES CONJONCTIONS DU SIGNIFICATEUR DANS LA CARTE NATALE

Nous avons vu au cours de notre étude que la conjonction est un aspect particulier qui peut être harmonique ou dissonant en fonction de la nature des planètes ou luminaires qui la composent. En plus, si l'un des composants est significateur du thème, elle prend une importance encore pus grande et il devient nécessaire d'en faire une analyse plus profonde. C'est ainsi que Saturne étant significateur d'un sujet, la conjonction prendra une grande place dans l'interprétation. Le significateur est la planète ou le luminaire qui gouverne le signe ascendant d'un natif. Par exemple un ascendant se situant dans le signe du Taureau, Vénus deviendra le signifiant de la carte.

Si URANUS est significateur, la conjonction donnera avec:

SATURNE:

Un accident ou une maladie en rapport avec le signe dans lequel se forme la conjonction. Si elle a lieu dans le Milieu du Ciel, elle causera des ennuis de fortune tous les sept ans.

JUPITER:

Le natif deviendra riche de manière inattendue. Il pourra bénéficier de dons, legs ou héritages ou encore profitera de protections puissantes, d'associations commerciales, d'influences politiques à la condition que la conjonction se forme dans la maison 1, 7, 10 ou 11.

MARS:

Dans le signe du Bélier, elle pourra rendre le natif criminel et passible d'emprisonnement. Elle accorde encore beaucoup de moyens et de capacités d'actions si elle se produit en maison 1, mais elle expose aux accidents et à la mauvaise fortune.

VÉNUS:

Dans les maisons 1, 7 ou 10, elle rend le sujet insensible aux charmes féminins, excentrique dans sa toilette et dans ses manières. Elle le portera à dépenser follement jusqu'au point de se retrouver sans ressources.

MERCURE:

Si la conjonction se produit en maison 1 ou 10 et spécialement dans les Gémeaux, la Vierge ou le Verseau, le natif aura le goût des sciences occultes et de l'astrologie en particulier. Dans les signes du Cancer, du Bélier, de la Balance ou du Capricorne, le natif ne sera jamais satisfait de son sort, mais il fera de grands voyages à l'étranger.

LUNE:

Si c'est la carte d'une femme, cette dernière ne se mariera pas facilement et changera de domicile fréquemment. Elle aura le goût des sciences occultes. Si c'est un thème masculin, le sujet ne sera pas tenté par le mariage ou si ce dernier a lieu, il se terminera par une séparation ou un divorce surtout si la conjonction a lieu en maison 1, 7 ou 10. Le natif fera de longs voyages. La conjonction dans les signes du Cancer ou du Verseau apportera une bonne position sociale et la fortune de manière momentanée.

SOLEIL:

Le succès et la réussite sont assurés si la conjonction se produit en maison 1 ou dans le Milieu du Ciel.

Si SATURNE est significateur, la conjonction produira avec:

URANUS:

Un natif qui aura le goût des inventions et sera intéressé par la construction de grands édifices, lesquels lui apporteront la fortune.

JUPITER:

Elle prédispose à la possession de biens fonciers ou à l'exploitation du sol et du sous-sol. Cette conjonction rend le natif honnête et travailleur à la condition que Jupiter soit dignifié; mais lorsqu'il est en chute ou en exil, le natif sera orgueilleux et moins favorisé.

MARS:

Si Mars est bien placé, le natif pourra réussir dans une fonction militaire, mais il tombera en disgrâce à cause de sa cruauté. Si Mars est mal placé, il faut pronostiquer la prison à la suite d'exactions regrettables dues à un caractère vindicatif et malhonnête.

VÉNUS:

Si cette planète est dignifiée le sujet sera sensuel, licencieux et amoureux. Il sera favorisé par les femmes et fera fortune. Si Vénus est mal placée nous aurons affaire à un efféminé, égoïste et trompeur, qui dissipera sa fortune dans le jeu et la débauche. La fin de sa vie se déroulera dans la gêne.

MERCURE:

Mercure dignifié donnera un esprit subtil, adroit et studieux. Le sujet sera cependant pédant et son élocution sera facile. Mercure étant affligé provoquera un défaut de langue et de prononciation et le natif sera peu intelligent, voire ignorant.

LUNE:

Généralement l'augure annonce une personne de condition obscure. L'esprit est changeant et le sujet pose des gestes qu'ensuite il regrette. Si la lune est bien disposée, le jugement sera sûr et les changements de fortune nombreux. La fin de la vie sera heureuse. Si la Lune est affligée, la fortune sera agitée, les biens perdus et la fin de la vie malheureuse, surtout si Mars est en dissonance avec la Lune.

SOLEIL:

Cette conjonction ne pronostique pas beaucoup de joies dans la vie d'un sujet. Elle annonce de nombreuses vexations de la part des personnes haut placées et il y a lieu de craindre des persécutions méchantes, une santé déficiente et une existence relativement courte. Se formant en signe de Feu, elle présage la perte des biens par incendies.

Si JUPITER est significateur, la conjonction donnera avec:

URANUS:

Beaucoup d'ennuis pour le sujet et des déceptions face au comportement de certains amis fidèles occupant des positions élevées.

SATURNE:

Le natif ne sera pas très heureux, mais la présence de Saturne dans ses signes favorables le rendra un peu plus énergique et cherchant à s'enrichir par des moyens peu louables.

MARS:

Si la planète Mars est bien placée, le natif sera magnanime et audacieux tandis qu'à l'inverse, il dissipera sa fortune sans principe et sera intolérant.

VÉNUS:

L'existence sera heureuse et le natif recevra des faveurs de la part du beau sexe. Il atteindra une situation sociale élevée, sera riche, fortuné, très respecté et sa santé sera florissante.

MERCURE:

Mercure étant dignifié, le natif sera instruit, religieux et capable de belles réalisations. Il pourrait être prédicateur.

LUNE:

Le natif fera de nombreux voyages, mais son caractère sera changeant. Il fera fortune de façon honnête et réalisera un bon mariage.

SOLEIL:

Il faut s'attendre à ce que le sujet soit servile et crédule, exposé aux vexations et à la malchance. Sa santé sera précaire.

Si MARS est significateur, la conjonction procurera avec:

URANUS:

De l'intérêt pour les inventions, la mécanique et la confection d'armes à feu, d'objets de métal ferreux, d'explosifs.

SATURNE:

Si Saturne est dignifié, le natif sera irascible, cruel et vindicatif et sa carrière se trouvera tourmentée, car il cherchera à tromper ses relations. Il pourra cependant se gagner la faveur de personnes plus âgées, mais ne saura pas la conserver et finira ses jours dans la misère.

JUPITER:

Si Jupiter est bien placé, le sujet sera juste et honnête et il pourra réussir en religion ou encore dans la magistrature.

VÉNUS:

Le caractère sera bon, aimable et sans rancune, la fortune modérée. Le sujet sera épris de la gente féminine. Si la planète Vénus est mal placée, le natif n'aura aucun scrupule dans le choix de ses amis.

MERCURE:

La personne sera dotée d'une grande vivacité d'esprit à la condition que Mercure ne soit pas «maléficié». Le sujet sera attiré par la mécanique, les mathématiques, la littérature. Il aura toutes les chances de faire carrière dans l'armée ou la marine.

LUNE:

Grand aventurier, le sujet sera hardi mais d'un caractère difficile surtout si la Lune est dignifiée. On peut voir avec cette conjonction une fin de vie à l'étranger et c'est elle qui fait les fameux chirurgiens favorisés par les femmes.

SOLEIL:

Le natif sera orgueilleux, impulsif et arrogant. Il réussira dans les armes, mais éprouvera plusieurs accidents par le feu, la foudre ou l'électricité. Il saura s'approprier des protections et des relations importantes qui ne lui seront pas fidèles pour autant.

Si VÉNUS est significateur, la conjonction apportera avec:

URANUS:

Les appuis de personnes riches et influentes surtout si Vénus est dans le Taureau, la Balance ou le Verseau. Le natif fera une grande découverte si la conjonction se produit dans les maisons 9, 10 ou 11.

SATURNE:

Cette planète étant bien placée, le sujet sera réfléchi, mais manquera d'énergie, sera prudent en affaires et son cœfficient de réussite dans les projets sera relativement bas. Si Vénus est mal placée, il sera sensuel et entêté.

JUPITER:

Le natif sera très beau à la condition que Vénus ne soit ni en Scorpion ni en Capricorne. Il se gagnera des honneurs, la fortune et une position remarquable dans la magistrature ou l'église.

MARS:

Avec Mars dignifié, le sujet sera querelleur, amoureux, honnête et tapageur. Si la planète est déprimée, il sera débauché, buveur, jouisseur, ami des jeux et dépensier.

MERCURE:

Le sujet sera très beau si Mercure est bien placé. Il sera ingénieux, éloquent, artiste ou musicien et aura la faveur des femmes.

LUNE:

Le caractère du natif sera docile mais changeant. Le natif sera peu fortuné et si la Lune est déprimée nous aurons affaire à un vantard versatile et fantasque.

SOLEIL:

La personne sera orgueilleuse et sa santé sera faible surtout si le Soleil est mal placé. Elle éprouvera de nombreuses vexations dans la vie.

Si MERCURE est significateur, la conjonction produit avec:

URANUS:

Lorsque Mercure est dans un signe cardinal, il fera le natif au caractère changeant, insatisfait de son sort, voyageant de nombreuses fois en pays étrangers. Dans les signes de la Vierge, de la Balance ou du Verseau, il transformera le sujet en grand chercheur, en occultiste et l'exposera à des accidents graves et à la malchance due à son imprévoyance.

SATURNE:

À la condition que Saturne soit bien placé, le sujet sera timide, réservé et d'un caractère froid. Il parviendra à force de parcimonie à s'amasser une petite fortune, mais il lui faudra travailler et étudier. Si Saturne est déprimé, le natif sera méchant et vindicatif, malhonnête et pourra même être poursuivi pour libelles diffamatoires.

JUPITER:

Jupiter étant dignifié, la personne sera aimable, agréable et sympathique. Elle sera protégée par des gens puissants, riches et sera favorisée par la chance.

MARS:

Mars étant bien placé, le sujet sera courageux et intelligent. Dans le cas contraire il sera voleur et peu scrupuleux.

VÉNUS:

La planète étant dignifiée, le sujet sera élégant, beau, sage, modeste et aura bon cœur.

LUNE:

Le natif aura l'esprit fin, un bon jugement, il aimera les voyages et le changement dans tous les domaines.

SOLEIL:

Le natif aura beaucoup d'esprit, de savoir et sa fortune sera heureuse bien que changeante. Il réussira dans les affaires à la condition que le Soleil soit dignifié.

Si la LUNE est significateur, la conjonction donne avec:

URANUS:

Une prédisposition très marquée pour les changements de domicile, même après le mariage. Il donne au sujet le goût des sciences occultes, de la philosophie et de la religion. En général, les natifs qui ont cette conjonction sont peu heureux et de commerce difficile. Ils ne sont pas faits pour le mariage ou la vie de famille.

SATURNE:

Le sujet sera malheureux, maussade et manquant de décision. Si Saturne est dignifié, le natif sera très gauche en affaires alors que si la planète est «maléficiée» il deviendra cruel, avare et fera le mal sans raison apparente. Il sera en outre très infortuné.

JUPITER:

Jupiter étant dignifié, le sujet s'attirera les honneurs, l'estime et l'amitié des gens. Il acquerra de grandes richesses dont il perdra une bonne partie à cause de sa générosité sans bornes.

MARS:

Cette planète étant bien placée, le sujet sera téméraire et courageux, mais son intelligence ne sera que moyenne. Le natif sera enclin au vol et au meurtre. Si Mars est en chute ou en exil, la violence, la cruauté et la tendance au crime viendront s'ajouter à son tempérament. Si les deux planètes sont bien situées on peut pronostiquer des chances dans la carrière des armes ou la chirurgie.

VÉNUS:

Le natif est généralement sympathique et il se concilie facilement l'amitié des gens qui l'entourent. On peut pronostiquer la réussite dans le milieu artistique; cependant si Vénus est mal placée, il sera insouciant et s'adonnera facilement aux plaisirs illicites.

MERCURE:

Le sujet sera agréable à voir, il aimera les arts, les sciences et les voyages, mais sera d'humeur changeante.

SOLEIL:

La personne risquera quelques problèmes aux yeux et sera sujette aux brûlures. Elle manquera de courage et de résolution. Si la Lune *applique* (se rapproche) au Soleil dans la maison 8 et que le Soleil est maître de cette maison, il y a danger de mort. Si par contre la Lune est *séparante* (s'éloigne), le danger pourra être évité.

Si le SOLEIL est significateur, la conjonction produit avec:

URANUS:

Le sujet aura le goût des hautes études et sera capable dans ses entreprises. Il aimera les sciences occultes et parviendra à une situation enviable dans le fonctionnariat.

SATURNE:

Cette planète étant dignifiée, le sujet sera trompeur, méfiant et peu chanceux. Les spéculations lui seront défavorables et il sera victime d'accidents entraînant des fractures. Si la planète est mal placée le caractère sera vil, orgueilleux et les risques d'ennuis seront encore plus importants.

JUPITER:

On peut prévoir une bonne fortune, une grande sincérité et un esprit hautement religieux. Cependant si Jupiter ou le Soleil sont mal placés, nous aurons affaire à un fanatique hypocrite soumis à des changements de fortune alarmants.

MARS:

Le natif sera brave, intrépide mais violent si Mars est dignifié. Il pourra occuper un emploi dans l'armée mais pourra mourir à la suite d'une blessure ou d'une chute, d'une fièvre ou dans un incendie. Si Mars est mal placé, le sujet sera capable du pire.

VÉNUS:

Nous aurons affaire à un sujet ambitieux, franc et magnanime, un peu extravagant, capable de belles actions et habile dans de hautes fonctions sociales d'où il tirera honneur et fortune.

MERCURE:

Le sujet aura beaucoup d'esprit, de savoir et d'ingéniosité, mais son jugement sera parfois erroné. Il réussira dans les affaires et aura une heureuse fortune.

LUNE:

Si la Lune est bien placée, le natif aura beaucoup d'intelligence mais des idées de grandeur; le caractère sera changeant, la fortune instable. Si la Lune est mal placée, elle fera un être irrésolu dont la santé sera relativement bonne sans plus.

CHAPITRE XVII

EFFETS DES ASPECTS ENTRE LES PLANÈTES ET LES LUMINAIRES

Nous savons que les aspects harmoniques sont le trigone et le sextile. Les aspects dissonants comprennent le carré et l'opposition. Les aspects harmoniques de deux planètes dites «bénéfiques» sont bons tandis que ceux formés par deux planètes «maléfiques» ne sont pas mauvais. Les trigones et sextiles de deux planètes «ordinaires» telles que la Lune, Mercure, le Soleil ou Uranus sont réputés favorables tout comme les aspects formés par une «ordinaire» et une «bénéfique». Si par contre l'aspect est composé d'une «ordinaire» et d'une «maléfique», ses effets sont mauvais. À titre d'exemple, un trigone Mercure-Saturne n'est pas des plus souhaitables.

Les dissonances de deux planètes «bénéfiques» ou de deux «maléfiques» sont mauvaises. Les aspects dissonants de deux «ordinaires» tout comme ceux des luminaires sont mauvais. Un aspect dissonant d'une «bénéfique» et d'une «maléfique» est mauvais et celui d'une «ordinaire» et d'une «bénéfique» ou d'une «maléfique» l'est aussi.

Les planètes «bénéfiques» sont Jupiter et Vénus;
Les planètes «maléfiques» sont Saturne et Mars;
Les planètes «ordinaires» sont Le Soleil, La Lune, Uranus et Mercure.

ASPECT HARMONIQUE URANUS-SATURNE:

Il rend le natif curieux et prédisposé à faire une carrière publique. Il est apte aux études scientifiques et occultes et peut élaborer des théories philosophiques ou sociales. On le recherchera pour occuper un poste dans de grandes affaires au sein desquelles il fera sa place. Il obtiendra facilement des appuis lui permettant de stabiliser sa situation suite à des revirements d'ambiance. Ses activités seront originales et même il pourra être un très bon ingénieur civil malgré une légère excentricité dans ses projets. On note chez cet individu, des aptitudes pour la mécanique et tout ce qui se rapporte aux sciences d'avant-garde, comme l'électricité, l'électronique, l'aviation, la radio et l'astronautique.

ASPECT DISSONANT URANUS-SATURNE:

Cet aspect rend rusé, malicieux, excentrique et prédisposé aux choses mystérieuses. Si les planètes se trouvent dans des signes cardinaux, elles indiquent que le sujet est un voyant, mais qu'il doit craindre l'échec dans les projets qu'il concevra et redouter la privation de sa liberté. Des revers d'ordre professionnel sont souvent en relation avec des catastrophes naturelles ou des accidents d'avion. Un aspect de ce type entraîne souvent des problèmes pathologiques en rapport avec des maladies incurables ou chroniques.

ASPECT HARMONIQUE URANUS-JUPITER:

Fait un natif au caractère ambitieux, cherchant à s'élever par tous les moyens au-dessus de ses semblables. Le sujet sera heureux dans ses entreprises, car il saura se faire des amis tout en étant apprécié de son entourage. Il s'efforcera d'améliorer la situation sociale et morale de ses compatriotes. Les influences de cet aspect sont très précieuses surtout qu'elles promettent une sorte de coup de chance inattendu qui entraîne à l'âge mûr des gains dus au hasard et au travail. On y décèle encore des succès politiques remarquables. En outre, l'aspect favorise les associations et donne des espoirs de prospérité. Le domaine pédagogique est en plus facilité.

ASPECT DISSONANT URANUS-JUPITER:

La nature du natif devient impulsive, imprévisible et préjudiciable pour ses intérêts. On peut prévoir des pertes par spéculations, des procès, des changements de domicile, des privations d'amis et des pertes de réputation. L'aspect entraîne aussi des erreurs de jugement à la suite d'idées trop originales et dépourvues de bases solides, une surestimation au plan financier qui entraîne des dépenses exagérées et des diminutions de gains, de la malchance aux jeux de hasard et des échecs politiques; si le sujet tente des réformes politiques, sociales ou religieuses, il risque de rencontrer de nombreux obstacles.

ASPECT HARMONIQUE URANUS-MARS:

Sujet subtil et ingénieux à l'esprit vif et pénétrant. Bon constructeur d'édifices, de machines mécaniques ou électriques, spécialiste d'engins de guerre. Le natif est capable de lutter contre les plus grandes difficultés et remporter des succès, surtout en électronique, aéronautique et astronautique ou dans des domaines d'avant-garde. C'est le pionnier de l'Ère du Verseau.

ASPECT DISSONANT URANUS-MARS:

Impulsif, hardi et osé, le sujet est apte à l'étude des sciences occultes, de la chimie et des applications de l'électricité et de l'électronique. Cruel, il crée des engins de destruction, surtout lorsque les planètes sont en maisons 1, 3 ou 9, en signes cardinaux ou fixes. Il n'écoute aucun avis et suit son objectif au mépris de tout le monde, c'est un anarchiste que rien n'arrête même pas le sang, particulièrement lorsque l'une ou l'autre planète est dans le signe du Taureau ou celui du Scorpion. Avec Mars ou Uranus en Poissons, le sujet sera fourbe, sachant cacher son jeu en public. Dans le Bélier ce sera un écervelé, dans les Gémeaux ou la Vierge il trompera facilement les autres, dans le Sagittaire il sera athée ou fanatique. Ces dissonances provoquent des accidents d'auto ou d'avion et sont à l'origine d'emballements au travail, ce qui conduit à l'échec. Elles indiquent encore des pertes de situation par manque de discipline ou mauvais caractère.

ASPECT HARMONIQUE URANUS-VÉNUS:

Produit un tempérament suffisant, entêté, des goûts artistiques. Le sujet sait apprécier l'art et la beauté, il a des aptitudes pour l'étude et l'enseignement des sciences. Chez la femme, il développe la clairvoyance, donne une perception intuitive et provoque de l'influence sur le sexe opposé. Il attire de nombreux amis utiles et puissants, fait le mariage heureux mais conclu soudainement. Prédispose aux amours platoniques, aux aventures sentimentales inattendues et donne de nombreux coups de chance.

ASPECT DISSONANT URANUS-VÉNUS:

Il fait des échecs sentimentaux et inattendus, provoque déceptions, séparations, divorces, lorsqu'il influence la maison 7. Il entraîne des dépenses inutiles ou capricieuses, déclenche les unions hâtives et les relations clandestines à scandale. Il entraîne des pertes d'amis et d'argent à la suite d'événements soudains et imprévus. Il donne lieu à la jalousie en amour.

ASPECT HARMONIQUE URANUS-MERCURE:

L'esprit est ingénieux, studieux et chercheur. Avec les planètes placées en signes d'air, il donne des idées originales et fait d'excellents éducateurs. Intrépide, le sujet est un pionnier de la pensée et de l'invention tournées vers le progrès. Il donne beaucoup d'amis, est favorable au travail intellectuel littéraire ou scientifique, aux inventions en rapport avec l'air ou l'électronique. Voyages d'études favorables.

ASPECT DISSONANT URANUS-MERCURE:

Il produit des idées originales mais utopiques. Le sujet est critiqué par son entourage, il a mauvaise presse, est brutal, est déséquilibré et a des idées de destruction. Dans les signes d'eau, l'aspect rend le sujet sceptique, manquant de pénétration et de bon jugement, méditatif sur des sujets excentriques ou utopiques.

ASPECT HARMONIQUE URANUS-LUNE:

Le sujet est changeant, amoureux des voyages, des curiosités, de la liberté individuelle. Son intelligence est vive et il a le goût des sciences occultes, l'imagination est débordante et intuitive, il est attiré par l'astrologie, il a aussi des dispositions pour l'électronique et l'astronautique. Sensible au sexe opposé, il vit des amours clandestines et des unions illégitimes. C'est un très bon aspect pour les romanciers et les journalistes, les agents de publicité et les voyants.

ASPECT DISSONANT URANUS-LUNE:

Provoque des idées utopiques et irréalisables. Le sujet est excentrique, très susceptible, autoritaire, intolérant, difficile à accommoder et attiré vers les sciences occultes mais sans réussite. Il devra faire face à une liaison clandestine de la part de son conjoint si les planètes se trouvent en maison 7, d'où scandale et divorce. Les changements de pays seront malheureux, en plus le caractère sera lunatique et le natif aura des idées excentriques si les planètes sont dans les angles ou les signes cardinaux.

ASPECT HARMONIQUE URANUS-SOLEIL:

Sujet autoritaire n'écoutant aucun conseil, agissant à sa guise et allant à l'échec; cependant il est généreux et habile, indépendant, excentrique, il aime sonder l'inconnu et a des aptitudes pour la mécanique. L'aspect est bon pour la chimie. Agent intermédiaire de grande valeur il s'élève dans la vie avec la contribution d'amis de condition sociale plus élevée. C'est un idéaliste qui réussit brusquement à la suite de circonstances inattendues. Bon aspect pour les élections.

ASPECT DISSONANT URANUS-SOLEIL:

Donne beaucoup de difficultés et d'obstacles dans la vie, de nombreuses déceptions et désappointements, perte de fortune, mais le natif arrivera cependant à la célébrité et au succès. Il sera impatient, ne supportant aucune atteinte à sa liberté. C'est un personnage très dangereux, sujet aux accidents dus à la foudre et à l'électricité. Prédisposé aux scandales, ses initiatives seront vouées à l'échec. Perte de la situation professionnelle par manque de discipline.

ASPECT HARMONIQUE SATURNE-JUPITER:

Le natif est une personne sérieuse, discrète, sobre et religieuse. Elle acquerra une situation importante dans la religion ou la magistrature et fera fortune grâce à des héritages considérables ou des exploitations agricoles ou minières. Elle aura un sens profond de la justice et sera estimée par son entourage.

ASPECT DISSONANT SATURNE-JUPITER:

Il produira un sujet égoïste, méfiant, enclin à la folie, soumis à la charge de la société. Il éprouvera en outre des déboires et des vexations de la part de gens de loi ou des religieux. Cet aspect fait craindre la prison ou l'internement dans un asile.

ASPECT HARMONIQUE SATURNE-MARS:

Il donne de l'énergie, de la prudence jointe à la fermeté, du courage, de la générosité, mais le natif sera irritable et vindicatif. Il obtiendra cependant de très bons résultats dans ses entreprises et parviendra à de hautes situations. Il sera estimé à cause de ses capacités. En général, sa santé sera très bonne.

ASPECT DISSONANT SATURNE-MARS:

Nous aurons affaire à une personne égoïste et violente, cruelle, malhonnête et perfide. On pourrait la qualifier d'orgueilleuse et ingrate surtout si les planètes sont en dissonance avec la Lune ou Mercure. Cette dissonance d'ailleurs crée les meurtriers et procure une mort violente à la suite d'injures, de coups ou d'accidents. Si l'une ou l'autre des planètes est dignifiée, les effets seront encore plus graves. C'est l'aspect du suicide par excellence.

ASPECT HARMONIQUE SATURNE-VÉNUS:

Le natif est extravagant, prodigue, loyal et sincère. Il a le pouvoir de se faire des amis et peut devenir la personne de confiance d'individus haut placés. Généralement, le sujet est facilement influençable par les femmes et les plaisirs. Il sait cependant captiver l'amitié des gens plus âgés et hériter de leur fortune.

ASPECT DISSONANT SATURNE-VÉNUS:

Fait un sujet sournois, rusé, mesquin, prédisposé à une vie de débauche, de vice et de dissipations. C'est l'aspect qui fait les prostituées et incite aux désirs pervers à l'égard des enfants. Dans le mariage, il cause la jalousie maladive et rend la vie insupportable à cause de la mesquinerie financière, du manque de jugement qui entraîne pertes, faillites et banqueroutes.

ASPECT HARMONIQUE SATURNE-MERCURE:

Il accorde le goût des études et donne du sérieux et de la pénétration à l'intellect. Il rend le sujet prudent, ingénieux mais craintif.

En général, cet aspect indique le succès quelle que soit l'orientation professionnelle du natif, qu'il s'agisse de politique, de religion ou au sein du gouvernement. Réservés, les gens qui le possèdent ne doivent pas être mis en présence du grand public. Ce sont des individus honnêtes et justes qui font d'excellents juges.

ASPECT DISSONANT SATURNE-MERCURE:

Affligé de cet aspect, le natif aura des ennuis toute sa vie. Son caractère sera fourbe, menteur, rusé à l'extrême et il devra subir la médisance de son entourage et l'isolement social. Mélancolique, il pourra s'adonner aux sciences occultes dans un but de puissance, de pouvoir personnel et de gains d'argent. Enclin au vol, il sera de plus particulièrement envieux.

ASPECT HARMONIQUE SATURNE-LUNE:

Il rend la personne confiante en elle-même, sérieuse et pondérée, ordonnée, économe mais changeante, craintive et méfiante. Elle aura cependant une haute idée de ses responsabilités en matière de justice.

ASPECT DISSONANT SATURNE-LUNE:

C'est la signification d'une vie malheureuse. Le sujet est mélancolique et il vit dans la tristesse. L'aspect est très difficile pour la santé et pour la bonne entente avec les parents. Il plonge souvent le natif dans le besoin financier. Pour une femme, il fait craindre des ennuis avec les organes sexuels, tandis que chez l'homme, il entraîne soit le célibat, soit la mort du conjoint.

ASPECT HARMONIQUE SATURNE-SOLEIL:

L'aspect fait le natif austère en apparence mais généreux, noble et passionné. Méthodique et précis, ce sujet a le goût de l'organisation et de la diplomatie. Il aura des succès mais au prix de nombreux obstacles et en essuyant des retards. Il ne s'abaissera pas à des actes vils, car c'est un personnage sincère et juste. L'aspect conduit au succès dans les positions judiciaires, politiques ou dans le domaine minier et l'agriculture. C'est vers le milieu de sa vie que le natif réussira le mieux.

ASPECT DISSONANT SATURNE-SOLEIL:

Le sujet est orgueilleux, ambitieux et d'un courage ou d'une fermeté plus apparente que réelle. Sur le plan physique, l'aspect donne une constitution maladive et amoindrit la résistance aux maux. Il est contraire au succès, au mariage qui finira par un divorce ou la mort prématurée du conjoint. Il annonce encore legs ou héritages entraînant des litiges. Si Saturne est en Balance, ses effets sont moins graves.

ASPECT HARMONIQUE JUPITER-MARS:

Il fait le caractère militaire, donne un esprit d'aventure et accorde franchise, noblesse, ambition et générosité alliées à l'audace, à la vertu et au courage. Le natif saura communiquer aux autres les sentiments qui sont les siens. L'aspect est favorable aux opérations financières en tempérant les dépenses et la générosité. En général, les projets sont menés à bien. La popularité est grandissante et la santé excellente. Le trigone fait les très bons médecins et les habiles chimistes.

ASPECT DISSONANT JUPITER-MARS:

C'est l'aspect du joueur invétéré et si l'une des planètes est en Poissons, le natif sera tenté par la boisson. Le caractère est rusé, malhonnête, violent, ingrat, incrédule et arrogant. La santé est sujette aux maladies du sang et aux fièvres pernicieuses.

ASPECT HARMONIQUE JUPITER-VÉNUS:

C'est le meilleur aspect de bonheur et de fortune qui favorise l'accumulation des richesses, de la jouissance de tous les luxes de la vie. Il indique un beau mariage heureux, un grand prestige social et le respect des autres. Le natif aimera les voyages, la musique, surtout si l'une des planètes est en Poissons. Il saura séduire et sera incapable d'action méchante.

ASPECT DISSONANT JUPITER-VÉNUS:

Cet aspect présage l'intempérance, l'extravagance et la dissipation de la fortune. Le natif adonné aux plaisirs sera imprudent, orgueilleux et prodigue. Il aura le goût des plaisirs mais ne pourra les satisfaire. Le manque d'habileté en affaires le conduira à la faillite et le mariage sera une source de déceptions à cause de l'infidélité du conjoint. Le sujet sera souvent en marge de la loi.

ASPECT HARMONIQUE JUPITER-MERCURE:

L'augure apporte d'excellentes aptitudes, un jugement profond et un grand savoir. Le raisonnement sera solide, optimiste et réfléchi. Le natif aura des prédispositions en littérature ou dans la pratique du droit. Cet aspect est favorable aux voyageurs de commerce ou aux touristes, car il permet de recueillir fortune et agrément au cours des déplacements.

ASPECT DISSONANT JUPITER-MERCURE:

Le caractère est instable, irrésolu, hésitant, et par son manque de jugement le natif est conduit à l'échec. Les associés ne lui sont pas favorables et les contrats et engagements sont entachés de vices. Les vexations se multiplient durant la vie, et l'on peut même prédire des querelles d'ordre religieux.

ASPECT HARMONIQUE JUPITER-LUNE:

Fortuné et amoureux du beau sexe, le natif sera respecté des gens de classe pauvre. Il sera attiré par les grands horizons et chanceux dans ses expéditions. Charitable et sincère, il cherchera à soulager la misère des autres. Il sera doté d'un don magnétique capable de réduire la douleur; fortuné il saura être philanthrope, il aura le succès physique et spirituel tout au long de sa vie.

ASPECT DISSONANT JUPITER-LUNE:

Imprévoyant, indécis, ostentateur, le sujet sera un joueur malchanceux et ses spéculations seront stériles. Généralement voué à la ruine, il aura en plus mauvaise réputation et sera fragile de santé.

ASPECT HARMONIQUE JUPITER-SOLEIL:

Le natif est bon, courageux, fortuné et magnanime. La santé est excellente à la condition que les planètes ne soient pas dans le signe du Bélier. Le caractère est gai, enjoué, et le sujet sait se faire aimer, car il ne trahit personne. Le plan financier est très favorisé et l'argent n'est jamais «entaché». Brillant dans un poste gouvernemental, le natif peut devenir l'un des «piliers de la société».

ASPECT DISSONANT JUPITER-SOLEIL:

C'est la santé qui risque d'être défavorisée avec un tel aspect. Le natif est trop porté vers les bonnes choses et devient égoïste, colérique et agressif. Extravagant, il s'endette et ne peut acquitter son dû. Il sait exploiter les gens, c'est le parieur qui n'hésite pas à contourner les lois et qui dépense de façon extravagante.

ASPECT HARMONIQUE MARS-VÉNUS:

Le natif recherche les plaisirs et la société des femmes, les amourettes et le jeu. Il est naturellement dépensier et imprévoyant. Son tempérament ambitieux est très démonstratif. On trouve généralement qu'il a un sens des affaires remarquable et la possibilité de gagner fort bien sa vie, mais qu'il est dépensier, ce qui le rend populaire vis-à-vis de ses amis. En ce qui concerne le mariage, l'aspect fait que le sujet prendra rapidement un conjoint.

ASPECT DISSONANT MARS-VÉNUS:

L'aspect fait le tempérament voluptueux et très sensuel. Le natif est capable de faire les pires excès en vue de satisfaire des passions qui très vite useront sa vitalité. Généralement, les gens qui ont cette configuration sont très ou trop généreux envers le sexe opposé et dépensent plus qu'ils ne gagnent, de là, de nombreuses difficultés financières sont à prévoir. Si les planètes sont en Cancer, Scorpion ou Poissons, elles annoncent une vie de débauche lamentable et un sujet vantard, ivrogne, malicieux et vil.

ASPECT HARMONIQUE MARS-MERCURE:

L'intelligence est grande, la vivacité d'esprit remarquable. Cependant, le sujet est rusé, violent, superficiel et il manque parfois de principes. Très entreprenant, c'est un travailleur infatigable qui s'intéresse aux choses concrètes. D'une grande dextérité, il fait ce qu'il veut manuellement, travaille rapidement et proprement. Il connaît généralement le succès en mécanique ou en littérature.

ASPECT DISSONANT MARS-MERCURE:

L'esprit est impulsif, emporté et sans réflexion. L'aspect fait du natif un associé dangereux, peu sincère, virulent et mauvaise langue. C'est une brute qui se doit de dominer ou détruire tout ce qui ne lui sied pas. Ses armes sont la force et la calomnie. C'est un fanfaron, égoïste, qui devient avec le temps une menace pour la société. Il peut même devenir fou si l'une ou l'autre des planètes est en 6e ou 12e maison. Cct aspect est caractéristique de l'assassin et du voleur.

ASPECT HARMONIQUE MARS-LUNE:

L'aspect indique une personne loquace, changeante, amusante, souvent irritée mais vite calmée et qui peut faire fortune en voyageant. Si la Lune est bien placée, elle annonce le succès dans les entreprises tandis que Mars, dans une telle situation, accorde le don de fascination sur le sexe opposé. La vitalité est excellente et l'organisme vigoureux. Naturellement le sujet est énergique et ambitieux, il obtient la confiance des gens et gagne beaucoup d'argent, mais dépense aussi vite ce qu'il a ramassé.

ASPECT DISSONANT MARS-LUNE:

Le caractère est emporté, impulsif, tendant à se rebeller contre l'ordre et les règlements. Très exigeant et autoritaire, le natif n'hésite pas à avoir recours à la force pour obtenir ce qu'il veut. Il se fait beaucoup d'ennemis et cause des chagrins à ceux qui l'aiment. Si l'aspect se produit dans les signes d'eau, le natif est un ivrogne, vulgaire et sans principes. Les voyages lui sont malheureux.

ASPECT HARMONIQUE MARS-SOLEIL:

Indique un sujet honnête, dévoué et bon en qui l'on peut avoir confiance et qui se fait aimer des grands. Il est capable de réussir dans l'armée grâce à sa haute intelligence, sa bravoure et son courage. Il s'élèvera dans la vie au-dessus de sa condition natale. Élément d'action, c'est un pionnier reconnu. Au niveau de la santé, l'aspect est excellent, car il donne une surabondance d'énergie vitale qui assure une santé radieuse et fortifie la constitution. La volonté est inflexible, mais le natif est parfois grossier et peu enclin à suivre les règles.

ASPECT DISSONANT MARS-SOLEIL:

Si l'aspect donne encore une surabondance d'énergie, cette dernière est appliquée dans des buts destructeurs. Le courage devient une folie tourmentée et nous sommes en présence d'un suicidaire, d'un kamikaze. Toujours en rébellion contre l'autorité, il se révolte à la moindre occasion et se fait détester de tout le monde, il se trouve perpétuellement dans l'embarras. Ces aspects dissonants occasionnent de sérieux accidents, des coups et blessures par armes à feu, couteaux, brûlures et le sujet peut devenir cambrioleur, voleur ou meurtrier.

ASPECT HARMONIQUE VÉNUS-MERCURE:

Comme ces deux planètes ne se séparent pas de plus de 76°, l'aspect ne peut qu'être un sextile. Il fait le sujet sociable, aimable, gai, lui donnant des dispositions pour la musique, les belles-lettres et les sciences. Le natif est ingénieux, de bonne nature, éloquent et courtois. Élégant de sa personne, il aime la compagnie et peut fort bien réussir dans des carrières commerciales qui exigent des personnes douces, affables et persuasives.

ASPECT DISSONANT VÉNUS-MERCURE:

L'aspect est irréalisable avec des carrés ou des oppositions puisque les deux astres ne peuvent être éloignés de plus de 76°.

ASPECT HARMONIQUE VÉNUS-LUNE:

Il procure des honneurs par l'intermédiaire des femmes et rend le sujet populaire mais versatile, enclin aux préjugés et inconstant. Il fait le mariage heureux et donne une bonne santé à la femme. L'imagination est fertile et le succès assuré dans la vie. Il met enfin le natif à l'abri des soucis du lendemain.

ASPECT DISSONANT VÉNUS-LUNE:

Produit un natif vulgaire, querelleur, ignorant et soumis à de nombreux soucis matrimoniaux. Lorsqu'il s'agit d'une femme, ces aspects entraînent des mœurs dissolues qui ruinent le bonheur du foyer. La santé est précaire et l'on y dénote des troubles digestifs. Il fait craindre les effets de la diffamation et le scandale public.

ASPECT HARMONIQUE-DISSONANT VÉNUS-SOLEIL:

Comme ces deux astres ne sont pas assez séparés, ils ne peuvent que former des conjonctions.

ASPECT HARMONIQUE MERCURE-LUNE:

Cet aspect produit une nature intuitive, mobile, parfois fantasque. Cependant, la personne est ingénieuse, douée de bonnes qualités et de pénétration d'esprit, mais elle est versatile et manque de résolution. Si la mémoire est bonne, on peut assurer un certain succès dans la vie, le sujet a malgré tout tendance à ne voir que les bons côtés des choses. Il aime les plaisirs et les voyages. Il faut noter que si la Lune est dans le Cancer ou le Taureau, elle fera le natif très habile dans les lettres, les arts et les sciences et lui permettra de réussir comme orateur, avocat ou professeur.

ASPECT DISSONANT MERCURE-LUNE:

La mémoire du sujet est médiocre, sa mentalité instable et indécise. Tendant à s'alarmer pour des riens, il est très nerveux et l'on peut dire même malchanceux, ignorant, n'arrivant à rien de bien. Parfois grossier, il ne parvient pas à se faire aimer des gens malgré son honnêteté et ses bons sentiments.

ASPECT HARMONIQUE-DISSONANT MERCURE-SOLEIL:

Ces aspects n'existent pas entre Mercure et le Soleil, seule la conjonction donne les résultats étudiés auparavant.

ASPECT HARMONIQUE LUNE-SOLEIL:

Il produit une vie tout à fait prospère, donne une bonne santé, la fortune, un foyer agréable et des amis fidèles. Dans l'échelle sociale, le natif s'élève rapidement, car il est habile et perspicace. Sympathique et charitable, il aimera beaucoup les voyages. Au plan financier, si la Lune est dans le Taureau, le Lion, le Scorpion ou le Verseau, il bénéficiera de beaucoup de stabilité.

ASPECT DISSONANT LUNE-SOLEIL:

Avec cet aspect, nous serons en présence d'une personne inconstante, irrésolue, changeante et incapable de poursuivre un but défini dans la vie. Peu persévérante, elle ira à l'échec dans la plupart de ses entreprises et aura de la difficulté à conserver un emploi ou à en trouver un. Les configurations dissonantes affectent la santé, rendent sensible aux refroidissements et font la guérison très lente. On note souvent des problèmes aux yeux, ou une faiblesse de la vue surtout lorsque les luminaires en dissonance se trouvent près des Pléiades, à 29° du Taureau, ou encore lorsque le Soleil est blessé par la planète Mars.

CHAPITRE XVIII

APHORISMES ASTROLOGIQUES

SUR LA SITUATION SOCIALE ET PROFESSIONNELLE

1) Mercure, maître de l'ascendant ou dans la première maison, étant dignifié et en aspect harmonique avec la Lune ou Vénus, fait un orateur remarquable. Avec Jupiter ou Saturne, il fait un philosophe ou un théologien. Avec Mars un médecin ou un bon mathématicien.

2) 70% des planètes ou luminaires placés en secteur Diurne, rendent le sujet éminent et respecté. Si les planètes se trouvent dignifiées le natif s'élèvera par la fortune et les honneurs au-dessus de tous les gens du pays où il est né.

3) Mercure en dignité avec le Soleil indique un orateur remarquable et un avocat distingué qui s'attirera l'admiration de tous par ses talents et son génie.

4) Saturne en maison 10, détruit honneur et crédit, même étant dignifié. Il renverse le natif de la position où il l'avait élevé. Si Jupiter se trouve également en maison 10, il préservera le natif de cette disgrâce, mais tôt ou tard, Saturne le ruinera.

5) Lorsque les signes cardinaux sont dans les angles, le natif sera le plus illustre et le plus éminent de toute sa famille.

6) Mercure et Vénus en conjonction dans les Gémeaux, la Balance ou le Verseau, placés dans l'ascendant et en trigone à Jupiter en maison 9 font les grands professeurs et les critiques célèbres.

7) Le maître de la maison 10 en maison 2 et celui de la maison 12 en maison 1 sont des présages certains d'emprisonnement.

8) Le Soleil et la planète Mars en maison 2 et dans leurs dignités présagent une grande fortune, mais la font dépenser follement. Les deux infortunés dans cette maison annoncent gêne et pauvreté.

9) La Lune en harmonie avec le maître de la maison 10 et celui de l'ascendant rend le natif très estimé et considéré.

10) Jupiter et Vénus bien situés ou en harmonie avec le Soleil ou la Lune apportent profits, honneurs, succès, estime publique et amis.

SUR LA SANTÉ ET LA MALADIE

11) Quand Saturne ou Mars affligent les luminaires ou l'ascendant, le sujet sera maladif et vivra peu de temps.

12) Le Soleil ou la Lune en dissonance avec Mars d'un angle à l'autre et particulièrement de la maison 4 à la 10, présagent des accidents dramatiques ou une mort violente. Si l'opposition a lieu de la maison 1 à la 7 Mars étant en Vierge, Balance, Verseau ou Gémeaux, le natif sera tué par des adversaires et si Saturne est à la place de Mars, la mort viendra par le poison, la faim ou la peine capitale.

13) Mars en opposition carrée ou conjonction à la Lune, et Saturne en même aspect avec le Soleil présagent la mort violente dans les angles. N'étant pas dans les angles mais placé dans le Bélier, la Balance, le Capricorne ou le Scorpion ils indiquent la mort pure et simple.

14) Si Mercure est maître de la maison 6 et qu'il est affligé par le Soleil (combustion) ou encore par Saturne ou Mars, le natif aura un défaut de langue. Si Mercure est maître de la maison 12 avec les mêmes configurations, le défaut se portera sur les oreilles.

15) Si en nativité nocturne Saturne est dans la maison 8, il annonce une mort malheureuse ou violente.

16) Le Soleil ou la Lune en carré ou opposition avec Mars ou Saturne provoquent des affections de la vue.

17) Les astres affligés dans le Cancer ou le Capricorne provoquent des tumeurs ou des abcès. Saturne et Mars affligés dans le signe de la Vierge ou dans les Poissons donnent des abcès au foie.

18) Les maléfiques indiquent par les signes où elles se trouvent les parties du corps vulnérables à la maladie.

19) La Lune en conjonction avec Jupiter présage une maladie tous les 7 ans. Elle fait de même en dissonance. Le Soleil dans les mêmes dispositions annonce des maladies tous les 12 ans.

SUR LE MARIAGE

20) Lorsque Saturne est maître de la maison 7, il impose le célibat jusqu'aux environs de la 30e année, à moins que Jupiter ou Mercure ne soit placé sur l'ascendant ou en bon aspect avec la Lune.

21) Dans un thème féminin, lorsque le maître de la maison 7 est sur l'ascendant ou en maison 1, c'est l'épouse qui gouverne le ménage. Si le maître de l'ascendant est une planète supérieure, l'épouse sera sévère et aura des manières d'homme.

22) Lorsque Jupiter est en harmonie avec la Lune, il indique une femme riche et de bonne famille, surtout si Jupiter est en maison 7 ou en maison 8.

23) Le maître de la maison 7 en 8 dignifié prévoit un conjoint riche et très fortuné, destiné à recevoir d'importants héritages.

24) En thème féminin, le Soleil se trouvant en maison 10, 11, 12 ou 4, 5, 6 indique que l'intéressée se mariera de bonne heure avec un homme plus jeune.

25) En thème masculin, la Lune en 10, 11, 12, 4, 5 ou 6 indique que le sujet se mariera avec une femme plus jeune et de bonne heure.

26) En thème féminin, le Soleil en 7, 8, 9 ou 1, 2, 3 indique pour la native un mariage tardif avec un homme plus âgé.

27) En thème masculin, la Lune en 1, 2, 3 ou 7, 8, 9 indique pour la natif un mariage tardif avec une femme plus âgée.

28) La Lune en conjonction avec Mars est pernicieuse pour la chasteté de la femme.

29) Le Soleil en carré ou en opposition avec Mars, indique une épouse violente et entêtée.

CHAPITRE XIX

LA PATHOLOGIE
ET LES SIGNES DU ZODIAQUE

Il est nécessaire de savoir que chaque natif est prédisposé aux troubles et lésions déterminés par le signe solaire sous lequel il est né. Le signe ascendant entre aussi en ligne de compte et les planètes situées dans les différents signes peuvent aussi contribuer à annoncer des ennuis physiques qu'il est bon de prendre en considération.

LE BÉLIER

Ce signe gouverne la tête et les deux lobes cérébraux. C'est lui qui préside au bon fonctionnement des organes situés à l'intérieur de la tête et à celui des yeux. Le nez fait exception: il est sous l'influence du Scorpion. Les dissonances arrivant à une planète en Bélier ou à l'ascendant situé dans ce signe produisent des maux ou céphalées, des névralgies, des conditions de transes et des affections du cerveau.

Le Soleil: affligé il donne une tendance à l'anémie, à la fièvre et aux hémorragies cérébrales. Il est à l'origine de la méningite.

La Lune: donne de l'insomnie, des maux de tête et une faiblesse de la vue.

Mercure: fait les migraines et les pertes d'équilibre, les vertiges, les lumbagos et les troubles nerveux des reins.

Vénus: produit des catarrhes, des sécrétions abondantes et la congestion des reins.

Mars: entraîne des coups de soleil, des hémorragies cérébrales, le délire, l'insomnie et les blessures ouvertes à la tête. Il est à l'origine des calculs rénaux.

Jupiter: produit des étourdissements, de la somnolence, des ulcérations des gencives de la mâchoire supérieure, donne le diabète et des dépressions consécutives au manque de sécrétion surrénale.

Saturne: entraîne de gros rhumes, la surdité et des refroidissements. Elle provoque des caries dentaires, le tartre, et des troubles rénaux.

Uranus: produit des fractures du crâne.

LE TAUREAU

Il gouverne le cou et la gorge, le palais et le larynx, les amygdales et la mâchoire inférieure. Il a aussi sous sa domination les oreilles et la partie arrière du crâne comprenant le cervelet, les vertèbres «Atlas» et «Axis», les artères carotides et les veines jugulaires. Le signe est prédisposé à entraîner le goître, la diphtérie et l'apoplexie, mais il peut provoquer des maladies vénériennes, la constipation et des règles irrégulières.

Le Soleil: en dissonance, provoque la diphtérie, les polypes du nez et des affections de la vue s'il est à 29° du signe dans les Pléiades.

La Lune: provoque des maux de gorge. Si elle est en conjonction avec les Pléiades et affligée par Saturne, Mars, Uranus ou Neptune, elle donne des troubles visuels. Elle crée aussi des problèmes de menstruations.

Mercure: produit le bégaiement et la surdité. Il provoque l'enrouement et les affections nerveuses des organes génitaux.

Vénus: donne les oreillons, le goître, l'amygdalite et l'inflammation des glandes de la gorge. Elle engendre les maladies vénériennes.

Mars: entraîne les oreillons, les végétations adénoïdes, la suffocation, les polypes et les saignements de nez. Il enflamme le larynx, provoque la blennorragie, l'épididymite, les ulcères vénériens, l'hypertrophie de la prostate.

Jupiter: rend gourmand, ce qui entraîne le pléthore, l'impétigo, l'ulcération des gencives de la mâchoire inférieure, le catarrhe nasal et les saignements de nez.

Saturne: donne tendance à la diphtérie, à l'esquinancie (maladie des oreilles), aux oreillons, à la carie dentaire de la mâchoire inférieure, aux étranglements internes et à la constipation.

Uranus: porte ses effets sur le cou. Provoque des opérations à la nuque.

LES GÉMEAUX

Le signe gouverne les membres supérieurs jusqu'aux épaules, les poumons, les côtes supérieures et le thymus. Les maladies principales du signe sont la pneumonie, la pleurésie, la bronchite, l'asthme et les inflammations du péricarde.

Le Soleil: donne une tendance à la pleurésie, aux bronchites et à l'hyperhémie des poumons.

La Lune: elle entraîne des catarrhes pulmonaires, la bronchite, la pneumonie, l'asthme et donne des rhumatismes dans les bras et les épaules.

Mercure: a tendance à déclencher des rhumatismes dans les bras et les épaules, mais provoque aussi la bronchite, la pleurésie et l'asthme, parfois la suffocation. Il est à l'origine de douleurs nerveuses dans les hanches.

Vénus: entraîne des problèmes du sang, une faiblesse pulmonaire, de l'hydropisie, des panaris et des verrues.

Mars: il est à l'origine des hémorragies pulmonaires, de la pneumonie, de la toux. Peut entraîner des fractures aux mains, aux bras, à la clavicule tout comme au fémur. Il peut aussi provoquer les sciatiques.

Jupiter: en plus de donner des risques de pleurésie, il affecte le sang et provoque les congestions et l'apoplexie pulmonaire. Il peut fracturer les os des cuisses, créer des rhumatismes aux hanches et donner la goutte.

Saturne: il est à l'origine des rhumatismes aux bras et aux épaules, donne des bronchites, de l'asthme, des sciatiques et des affections aux hanches.

Uranus: fait les convulsions et les maladies nerveuses.

LE CANCER

Le signe gouverne l'œsophage, l'estomac, le diaphragme, le pancréas, les seins, la partie supérieure du foie et la cage thoracique. Il produit les indigestions, les aigreurs, le hoquet, l'hydropisie, les calculs de la bile et l'ictère. On lui doit d'être hypocondriaque ou hystérique.

Le Soleil: engendre l'anémie, la dyspepsie et les embarras gastriques.

La Lune: donne une prédisposition au cancer de l'estomac, à l'obésité, à l'épilepsie et aux troubles digestifs.

Mercure: fait l'indigestion d'origine nerveuse, des mucosités et cause l'ivrognerie.

Vénus: produit des dilatations de l'estomac, des tumeurs gastriques et des nausées.

Mars: provoque des fièvres, la dyspepsie, des ulcères et des hémorragies stomacales.

Jupiter: fait le sujet gourmand et produit des maladies du foie comme la jaunisse, entraîne l'hydropisie et des éruptions cutanées.

Saturne: donne de la pyorrhée, des ulcères et des cancers à l'estomac. Il fait les nausées, le scorbut, la jaunisse, les calculs biliaires, l'anémie et le rétrécissement de l'œsophage.

Uranus: produit le hoquet à partir du diaphragme, une toux stomacale, les crampes d'estomac et les gaz.

LE LION

C'est le signe qui gouverne le cœur, la colonne vertébrale avec la moelle épinière, l'aorte. Par lui proviennent les palpitations, les anévrismes, les méningites spinales et l'artériosclérose. On lui doit l'angine de poitrine, l'infarctus du myocarde, l'anémie ou l'hyperhémie, des déformations de la colonne.

Le Soleil: il fait les palpitations du cœur, donne mal au dos et provoque des troubles visuels s'il est à 6° du signe, en conjonction avec les «Ascelli».

La Lune: provoque le mal de dos et la mauvaise circulation du sang, les convulsions, les troubles cardiaques et des défauts visuels à 6° du signe.

Mercure: donne des douleurs au dos, des palpitations et des évanouissements

Vénus: attaque l'épine dorsale et provoque l'hypertrophie du cœur.

Mars: fait les rhumatismes au dos, échauffe le sang, entraîne l'hypertrophie cardiaque, les palpitations, la suffocation, l'angine de poitrine, la péricardite.

Jupiter: entraîne l'apoplexie, affaiblit les valvules cardiaques et ralentit la circulation sanguine. Il provoque l'enflure des chevilles.

Saturne: déforme la colonne vertébrale, fait des faiblesses de la région lombaire, produit l'artériosclérose.

Uranus: entraîne des palpitations et des spasmes du cœur, il fait la méningite cérébro-spinale et la paralysie en bas âge.

LA VIERGE

Elle domine sur l'intestin grêle, le gros intestin, la partie inférieure du foie et la rate. Elle produit la péritonite, le ver solitaire, la fièvre typhoïde, le choléra et l'appendicite.

Le Soleil: donne une assimilation défectueuse, provoque la dysenterie, la typhoïde et la péritonite.

La Lune: fait les troubles des intestins, les tumeurs au ventre, la dysenterie et la péritonite.

Mercure: produit les coliques et l'essoufflement.

Vénus: entraîne l'atonie péristaltique des intestins, le ver solitaire, les ascarides.

Mars: fait la typhoïde, la péritonite et l'inflammation des intestins; il donne tendance aux vers, à la diarrhée, au choléra, aux hernies et à l'appendicite.

Jupiter: provoque l'hypertrophie du foie et la jaunisse.

Saturne: amoindrit l'absorption du chyle, obstrue l'iléo-caecum, le côlon transversal et donne des constipations. Entraîne l'appendicite.

Uranus: produit des crampes intestinales.

LA BALANCE

C'est le signe qui gouverne les reins et la vessie, les glandes surrénales, la région lombaire de la colonne vertébrale. Il est à l'origine de l'incontinence ou de la rétention urinaire, des problèmes des uretères qui sont les canaux reliant les reins à la vessie, du mal de Bright (néphrite chronique), des lumbagos, de l'eczéma et de certaines maladies de la peau.

Le Soleil: donne le mal de Bright, les éruptions cutanées consécutives à l'échauffement du sang.

La Lune: donne les abcès aux reins et les troubles de la vessie, elle entraîne l'urémie, provoque le mal de Bright, les maux de tête et l'insomnie.

Mercure: provoque la rétention d'urine, les douleurs rénales et lombaires, le lumbago, les vertiges, les migraines et les troubles oculaires.

Vénus: donne des tendances à l'urémie et à la polyurie. Elle engendre aussi de violents maux de tête.

Mars: fait l'inflammation des reins, l'excès urinaire, l'hémorragie rénale, les calculs rénaux, la fièvre cérébrale, les insolations et les maux de tête.

Jupiter: il entraîne l'insuffisance rénale, les abcès des reins et le diabète. Il est à l'origine de certaines éruptions cutanées, de la congestion cérébrale et des vertiges.

Saturne: provoque des calculs rénaux, la gravelle (lithiase urinaire), le mal de Bright, la rétention urinaire, les maux de dents et les caries dentaires.

Uranus: engendre un fonctionnement irrégulier des reins, des maladies de la peau, donne des hallucinations et de violents maux de tête.

LE SCORPION

Il gouverne l'appareil génital, l'urètre, le rectum, le côlon descendant, la prostate et les os du nez. À ce niveau, il est à l'origine des polypes et des adénoïdes. Il entraîne les affections de la matrice, des ovaires et produit les maladies vénériennes. Il provoque les dilatations ou les étranglements de la prostate, les menstruations irrégulières et les hernies testiculaires.

Le Soleil: fait les désordres génitaux-urinaires, provoque les troubles de l'utérus et des ovaires, et les irrégularités des cycles menstruels.

La Lune: avec des règles irrégulières, elle donne aussi des troubles de la vessie. Elle est à l'origine de l'hydrocèle et produit aussi des maux de gorge.

Mercure: crée des douleurs au bas-ventre, des irrégularités des cycles menstruels et provoque la surdité et l'enrouement.

Vénus: elle entraîne des maladies vénériennes, des tumeurs, les prolapsus de l'utérus. Par action réflexe sur le Taureau, elle provoque des maux de gorge.

Mars: donne la ménorragie, la blennorragie, et les calculs. Il provoque des ulcères aux ovaires, à l'utérus, au vagin, à l'urètre. Il entraîne l'hypertrophie de la prostate et l'étranglement du côlon descendant. Est à l'origine des hémorroïdes et produit des ennuis avec les amygdales. Il fait aussi les hémorragies nasales et les laryngites.

Jupiter: hypertrophie de la prostate, tumeurs utérines, abcès des testicules, attaques d'apoplexie et saignements de nez.

Saturne: fait la stérilité, supprime les règles (aménorrhée), provoque la constipation et les hémorroïdes. Il produit des catarrhes nasales et des affections de la gorge.

Uranus: provoque les avortements, les maladies vénériennes. En maison 5, il entraîne les césariennes et souvent un enfant mort-né.

LE SAGITTAIRE

C'est lui qui gouverne les hanches et les cuisses, le fémur et l'os iliaque. Il a domination sur le coccyx et le sacrum, le nerf sciatique et la circulation sanguine dans les cuisses. Il est à l'origine de l'ataxie, de la sciatique, des rhumatismes liés à cette partie du corps. Il peut, en outre, être la cause de troubles pulmonaires et de fractures osseuses.

Le Soleil: donne la sciatique, des maladies respiratoires et, se trouvant en dissonance à 8° du signe, il provoque des maladies oculaires à cause de la présence d'Antarès.

La Lune: fait les affections de la hanche et les fractures du fémur. Elle peut aussi donner naissance à des crises d'asthme.

Mercure: produit des douleurs aux hanches et aux cuisses, provoque la toux, l'asthme et la pleurésie.

Vénus: fait des tumeurs ou des affections aux hanches et donne des bronchites.

Mars: produit les fractures du fémur, la sciatique, les ulcères, la pneumonie, la bronchite et la toux.

Jupiter: fait des rhumatismes et donne la goutte. Il est à l'origine de l'apoplexie pulmonaire et des ennuis sanguins.

Saturne: entraîne des contusions aux hanches et aux cuisses, la sciatique, la goutte et produit la bronchite et la tuberculose pulmonaire.

Uranus: fait des accidents aux cuisses, des coxalgies et peut entraîner des interventions chirurgicales au foie ou à la vésicule biliaire.

LE CAPRICORNE

Il gouverne la peau, les os et les genoux, et agit également sur l'estomac. Il est à l'origine de maladies dermatologiques telles que l'eczéma, l'érysipèle ou la lèpre.

Le Soleil: produit des rhumatismes, des troubles de la digestion et des maladies de la peau.

La Lune: fait les rhumatismes articulaires, les éruptions cutanées et donne des troubles de la digestion.

Mercure: produit des rhumatismes dans les genoux et des douleurs dorsales.

Vénus: fait les douleurs dans les jambes, mais provoque aussi des vomissements et des nausées.

Mars: entraîne l'érysipèle, la petite vérole, la varicelle, la rougeole, des furoncles. Par action réflexe sur le Cancer, il donne de la dyspepsie et des ulcères à l'estomac.

Jupiter: provoque des maladies de la peau, de l'hydropisie, la jaunisse et des ennuis au foie.

Saturne: produit des rhumatismes articulaires, l'eczéma, provoque des calculs biliaires et la dyspepsie.

Uranus: entraîne des accidents aux jambes et des interventions chirurgicales ostéologiques.

LE VERSEAU

Il gouverne les jambes, du genou à la cheville. C'est avec lui que l'on trouve la plus importante disposition aux varices, aux foulures des chevilles, aux arythmies cardiaques et à l'hydropisie.

Le Soleil: provoque des varices, des palpitations et une circulation sanguine déficiente.

La Lune: fait les varices et les ulcères aux jambes, elle provoque des syncopes et des problèmes cardiaques.

Mercure: crée des douleurs lancinantes dans tout le corps, donne des varices, des palpitations et des névralgies cardiaques.

Vénus: entraîne des varices et des maladies cardiaques.

Mars: est à l'origine de varices, de fractures des jambes, d'empoisonnement du sang. Il fait les défaillances cardiaques, les palpitations et les évanouissements.

Jupiter: provoque les varices de la grossesse, l'enflure des chevilles, l'apoplexie et l'arythmie.

Saturne: rend les chevilles faibles, entraîne une déformation de la colonne et produit des affections artérielles et cardiaques.

Uranus: fait les opérations à cœur ouvert, les transplantations cardiaques et les pontages.

LES POISSONS

Gouvernent les pieds et les orteils. Ils indiquent les difformités des pieds et produisent les maladies de l'intestin et l'hydropisie. Le signe incite à la boisson et fait les alcooliques sujets de delirium tremens. En plus, il refroidit les pieds.

Le soleil: engendre la transpiration des pieds et les troubles des intestins comme la fièvre typhoïde.

La Lune: fait les pieds sensibles, mais porte aussi à l'ivrognerie, à l'usage des drogues et crée des désordres intestinaux.

Mercure: provoque la goutte et les crampes aux orteils, rend les pieds sensibles, donne des lassitudes générales et parfois engendre la surdité et des ennuis pulmonaires.

Vénus: donne des cors et fait les pieds sensibles. Elle provoque des engelures, des tumeurs abdominales et des ennuis intestinaux.

Mars: déforme les pieds et entraîne des accidents aux orteils. Il fait les durillons et les cors, produit les hernies, la diarrhée et l'inflammation de l'intestin.

Jupiter: fait les enflures et la transpiration, l'hypertrophie du foie, les tumeurs abdominales et la jaunisse.

Saturne: donne des pieds froids, les cors et les rhumatismes, la tuberculose et l'hydropisie.

Uranus: provoque les interventions chirurgicales au niveau de l'intestin, les maladies hormonales et les névroses, l'aliénation mentale et les accidents aux pieds.

CHAPITRE XX

APPENDICES GÉNÉRAUX

LES DEGRÉS D'AZEMEN

Ces degrés particuliers du zodiaque sont ceux qui ont la réputation d'avoir des effets maléfiques sur la vue. En effet ces degrés aziminés sont entachés d'imperfection ou de déformation et, généralement, ils obscurcissent la vision.

Signes	Degrés
TAUREAU	6, 7, 8, 9, 10
CANCER	9, 10, 11, 12, 13, 14, 15
LION	10, 27, 28
SCORPION	19, 29
SAGITTAIRE	1, 7, 8, 18, 19
CAPRICORNE	26, 27, 28, 29
VERSEAU	18, 19

Tableau IX: Degrés d'Azemen

LES DEGRÉS MASCULINS ET FÉMININS

Ces degrés ont la particularité de donner à l'homme certains caractères féminins, et à la femme des caractères masculins si les luminaires et plusieurs planètes s'y trouvent. Ainsi un homme possédant une majorité de planètes ou les luminaires dans les degrés féminins sera amolli et efféminé tandis que dans le cas inverse une jeune fille prendra l'allure d'une virago et aura des attitudes masculines. C'est souvent le cas des transsexuels.

Signes	Masculin	Féminin
BÉLIER	7, 16	12, 22
TAUREAU	7, 30	19
GÉMEAUX	17, 30	23
CANCER	2, 10, 18, 27	7, 12, 20, 30
LION	5, 15, 30	17, 26
VIERGE	7, 24	22, 30
BALANCE	5, 22, 30	10, 28
SCORPION	4, 12, 27	10, 19, 30
SAGITTAIRE	2, 11, 30	5, 23
CAPRICORNE	8, 19	12, 30
VERSEAU	9, 19	12, 30
POISSONS	10, 23	20, 30

Tableau X: Degrés masculins et féminins

LES DEGRÉS VIDES ET PLEINS

Les personnes qui dans leur carte natale possèdent une planète dans les degrés PLEINS sont médiocres. Celles qui ont deux planètes dans ces lieux seront chanceuses et il leur arrivera de bonnes choses surtout si ces planètes sont en domicile ou en exaltation. Celles qui auront la chance d'en posséder trois connaîtront de grands bonheurs et de nombreuses richesses; quant à celles qui en auront quatre, elles seront investies de la puissance d'un roi. Par contre, celles qui n'auront ni l'ascendant, ni le Milieu du Ciel, ni les luminaires, ni les autres planètes dans les degrés pleins seront pauvres et misérables, abandonnées par tous et connaîtront une suite ininterrompue d'adversités.

LES DEGRÉS AUGMENTANT LA FORTUNE

Si les luminaires, l'ascendant ou le Milieu du Ciel se trouvent dans ces degrés, surtout s'ils sont bien situés ou près d'une étoile fixe bénéfique, élèvent la fortune du natif et le portent à un rang élevé.

Signes	Degrés pleins	Degrés vides
BÉLIER	8, 20, 30	0, 3, 17, 26
TAUREAU	11, 21, 30	0, 3, 13, 26
GÉMEAUX	7, 14, 23	0, 9, 17, 30
CANCER	12, 18, 29	6, 14, 20, 30
LION	7, 14, 30	0, 10, 20
VIERGE	9, 17, 27	5, 11, 23, 30
BALANCE	5, 16, 27	0, 13, 24, 30
SCORPION	8, 20, 27	3, 14, 22, 30
SAGITTAIRE	8, 19, 30	0, 11, 23
CAPRICORNE	10, 20, 30	0, 7, 15, 24
VERSEAU	9, 19, 30	0, 4, 13, 22
POISSONS	12, 19, 28	6, 15, 25, 30

Tableau XI: Degrés vides et degrés pleins

Signes	Degrés
BÉLIER	19
TAUREAU	3, 15, 27
GÉMEAUX	3, 10, 11, 12, 15
CANCER	1, 2, 3, 4, 8, 19
LION	2, 5, 7, 19, 22, 23
VIERGE	3, 4, 14, 16, 20
BALANCE	3, 16, 17, 21, 28, 29
SCORPION	5, 7, 12, 15, 18, 20
SAGITTAIRE	3, 13, 15, 18, 20
CAPRICORNE	8, 12, 13, 14, 20, 24
VERSEAU	7, 15, 16, 17, 20, 29
POISSONS	13, 17, 19, 20

Tableau XII: Degrés augmentant la fortune

LES DEGRÉS DE PUITS

Dans chaque signe, il existe certains degrés que l'on appelle de PUITS et qui sont défavorables à l'épanouissement du natif:

Signes	Degrés
BÉLIER	6, 11, 16, 23, 29
TAUREAU	5, 12, 24, 25
GÉMEAUX	2, 12, 17, 26, 30
CANCER	12, 17, 23, 26, 30
LION	6, 13, 15, 22, 23, 28
VIERGE	8, 13, 16, 21, 25
BALANCE	2, 7, 20, 30
SCORPION	9, 10, 22, 23, 27
SAGITTAIRE	7, 12, 15, 24, 27, 30
CAPRICORNE	2, 7, 17, 22, 24, 28
VERSEAU	1, 12, 17, 24, 29
POISSONS	4, 9, 24, 27, 28

Tableau XIII: Les degrés de puits

TABLEAUX DES PRINCIPAUX PAYS FRANCOPHONES

Ces tableaux sont très utiles, car ils facilitent la domification d'une carte du ciel. Ils indiquent de gauche à droite, la ville de naissance du consultant, la longitude et la latitude de cette ville, l'écart horaire en minutes et secondes du lieu de naissance par rapport au fuseau horaire considéré et l'écart horaire en heures, minutes et secondes par rapport à Greenwich.

Supposons qu'une personne soit née à Madagascar dans la ville de Diego-Suarez à 10h23'. Son heure de naissance exacte sera:

10h23' + 17'12" = 10h 40'12"
l'heure G.M.T.: 10h40'12" − 3h17'12" = 7h23'

Diego-Suarez se trouvant par 12°47' de latitude sud, nous trouverons l'ascendant de la personne en nous reportant dans une table de maison pour cette latitude précise.

À titre indicatif, le tableau I des fuseaux horaires de la page 15 nous donne bien pour Madagascar un écart de + 3 heures par rapport au méridien d'origine.

Tableau XIV
ALGÉRIE

Annaba, Constantine	7E46	36N54	+31	04	− 0	31	04
Alger	3E04	36N47	+12	16	− 0	12	16
Batna, Constantine	6E11	35N33	+24	44	− 0	24	44
Biskra, Constantine	5E44	34N52	+22	56	− 0	22	56
Bejaïa, Constantine	5E05	36N46	+20	20	− 0	20	20
Bechar, Oran	2O13	31N37	− 8	52	+ 0	08	52
Constantine, Constantine	6E37	36N22	+26	28	− 0	26	28
Ech Cheliff, Alger	1E18	36N10	+ 5	12	− 0	05	12
Ghardaia, Alger	3E41	32N29	+14	44	− 0	14	44
Guelma, Constantine	7E26	36N28	+29	44	− 0	29	44
Laghouat, Alger	2E53	33N49	+11	32	− 0	11	32
Mascara, Oran	0E08	35N24	+ 0	32	− 0	00	32
Medea, Alger	2E45	36N16	+11	00	− 0	11	00
Miliana, Alger	2E14	36N19	+ 8	56	− 0	08	56
Mostaghanem, Oran	0E05	35N56	+ 0	20	− 0	00	20
Oran, Oran	0O38	35N42	− 2	32	+ 0	02	32
Ouargla, Constantine	5E20	31N59	+21	20	− 0	21	20
Skikda, Constantine	6E55	36N52	+27	40	− 0	27	40
Sétif, Constantine	5E25	36N12	+21	40	− 0	21	40
Sidi-Bel-Abbès, Oran	0O38	35N12	− 2	32	+ 0	02	32
Tizi-Ouzou, Alger	4E03	36N43	+16	12	− 0	16	12
Tlemcen, Oran	1O19	34N53	− 5	16	+ 0	05	16
Touggourt, Constantine	6E04	33N06	+24	16	− 0	24	16

Tableau XV
AFRIQUE ÉQUATORIALE[1]

Abéché, Tchad	20E48	13N49	+23	12	− 1	23	12
Bambari, Rép. centrafricaine	20E36	5N40	+22	24	− 1	22	24
Bangui, Rép. centrafricaine	18E35	4N21	+14	20	− 1	14	20
Berbérati, Rép. centrafricaine	15E46	4N16	+ 3	04	− 1	03	04
Brazzaville, Congo	15E14	4S17	+ 0	56	− 1	00	56
Sahr, Tchad	18E24	9N10	+13	36	− 1	13	36
N'Djamena, Tchad	15E03	12N08	+ 0	12	− 1	00	12
Lambaréné, Gabon	10E12	0S43	−19	12	− 0	40	48
Libreville, Gabon	9E26	0N23	−22	16	− 0	37	44
Mouila,Gabon	11E01	1S08	−15	56	− 0	44	04
Mondou, Tchad	16E06	8N36	+ 4	24	− 1	04	24
Pointe Noire, Congo	11E49	4S49	−12	44	− 0	47	16
Port-Gentil, Gabon	8E46	0S44	−24	56	− 0	35	04

1. N'existe plus depuis 1960. Par exemple le Moyen-Congo est devenu la République du Congo, L'Oubangi-Chari, la République centrafricaine, etc.

Tableau XVI
AFRIQUE OCCIDENTALE

Abidjan, Côte d'Ivoire	4O01	5N19	−16 04	+ 0 16 04
Abomey, Bénin	1E41	7N12	+ 6 44	− 0 06 44
Agadès, Niger	7E58	16N59	−28 08	− 0 31 52
Bamako, Mali	7O59	12N39	−31 56	+ 0 31 56
Bingerville, Côte d'Ivoire	3O54	5N20	−15 36	+ 0 15 36
Conakry, Guinée	13O43	9N30	+ 5 08	+ 0 54 52
Cotonou, Bénin	2E27	6N27	+ 9 48	− 0 09 48
Dakar, Sénégal	17O26	14N40	− 9 44	+ 1 09 44
Douala, Cameroun	9E41	4N02	−21 16	− 0 38 44
Garoua, Cameroun	13E24	9N18	− 6 24	− 0 53 36
Kankan, Guinée	9O17	10N23	+22 52	+ 0 37 08
Kaolack, Sénégal	16O05	14N08	− 4 20	+ 1 04 20
Kribi, Cameroun	9E55	2N57	−20 20	− 0 39 40
Lomé, Togo	1E14	6N08	+ 4 56	− 0 04 56
Niamey, Niger	2E07	13N31	+ 8 28	− 0 08 28
Nousdhibou, Mauritanie	17O03	20N55	− 8 12	+ 1 08 12
Ouagadougou, Burkina	1O31	12N22	− 6 04	+ 0 06 04
Porto Novo, Bénin	2E37	6N29	+10 28	− 0 10 28
St-Louis, Sénégal	16O31	16N01	− 6 04	+ 1 06 04
Sokodé, Togo	1E10	8N59	+ 4 40	− 0 04 40
Thiès, Sénégal	16O56	14N47	− 7 44	+ 1 07 44
Tombouctou, Mali	3O01	16N46	−12 04	+ 0 12 04
Yaoundé, Cameroun	11E32	3N51	−13 52	− 0 46 08
Zinder, Niger	9E00	13N48	−24 00	− 0 36 00

Tableau XVII
BELGIQUE

Alost, Flandre-Orientale	4E02	50N56	−43 52	− 0 16 08
Anvers, Anvers	4E25	51N13	−42 20	− 0 17 40
Arlon, Luxembourg	5E49	49N41	−36 44	− 0 23 16
Blankenberge, Flandre-Occidentale	3E08	51N19	−47 28	− 0 12 32
Bruges, Flandre-Occidentale	3E13	51N12	−47 08	− 0 12 52
Bruxelles, Brabant	4E21	50N51	−42 36	− 0 17 24
Charleroi, Hainaut	4E26	50N25	−42 16	− 0 17 44
Courtrai, Flandre-Occidentale	3E16	50N49	−46 56	− 0 13 04
Dendermonde, Flandre-Orientale	4E05	51N02	−43 40	− 0 16 20
Eeklo, Flandre-Orientale	3E34	51N11	−45 44	− 0 14 16
Eupen, Liège	6E02	50N38	−35 52	− 0 24 08
Gand, Flandre-Orientale	3E43	51N03	−45 08	− 0 14 52
Gilly, Hainaut	4E30	50N26	−42 00	− 0 18 00
Hasselt, Limbourg	5E20	50N56	−38 40	− 0 21 20
Hoboken, Anvers	4E21	51N11	−42 36	− 0 17 24

Jumet, Hainaut	4E26	50N26	−42 16	− 0 17 44
Laeken, Brabant [1]	4E21	50N53	−42 36	− 0 17 24
La Louvière, Hainaut	4E13	50N28	−43 08	− 0 16 52
Liège, Liège	5E34	50N38	−37 44	− 0 22 16
Lierre, Anvers	4E34	51N08	−41 44	− 0 18 16
Lokeren, Flandre-Orientale	4E00	51N06	−44 00	− 0 16 00
Louvain, Brabant	4E42	50N53	−41 12	− 0 18 48
Luik see Liège Malmédy, Liège	6E02	50N26	−35 52	− 0 24 08
Marcinelle, Hainaut	4E24	50N24	−42 24	− 0 17 36
Menin (Menen) Flandre-Occ.	3E08	59N48	−47 28	− 0 12 32
Merksem (Merxem), Anvers	4E26	51N15	−42 16	− 0 17 44
Mons, Hainaut	3E56	50N27	−44 16	− 0 15 44
Mouscron, Hainaut	3E13	50N44	−47 08	− 0 12 52
Namen see Namur Namur, Namur	4E51	50N28	−40 36	− 0 19 24
Nivelles, Brabant	4E19	50N36	−42 44	− 0 17 16
Ostende (Oostende), Flandre-Occ.	2E55	51N14	−48 20	− 0 11 40
Renaix, Flandre-Or.	3E56	50N45	−44 16	− 0 15 44
Roulers, Flandre-Or.	3E07	50N57	−47 32	− 0 12 28
Saint Nicolas, Flandre-Or.	4E08	51N10	−43 28	− 0 16 32
Saint Terid	5E11	50N49	− 39 16	− 0 20 44
Schaerbeek, Brabant	4E25	50N52	−42 20	− 0 17 40
Seraing, Liège	5E30	50N36	−38 00	− 0 22 00
Thourout, Torhout Flandre Occ.	3E06	51N04	−47 36	− 0 12 24
Tirlemont, Brabant	4E56	50N48	−40 16	− 0 19 44
Tournai, Hainaut	3E23	50N37	−46 28	− 0 13 32
Turnhout, Anvers	4E56	51N20	−40 16	− 0 19 44
Uccle Brabant	4E22	50N48	−42 32	− 0 17 28
Verviers, Liège	5E51	50N36	−36 36	− 0 23 24
Waterloo, Brabant	4E24	50N43	−42 24	− 0 17 36
Ypres, Flandre-Occ.	2E53	50N51	−48 28	− 0 11 32

1. Réuni à Bruxelles depuis 1921.

Tableau XVIII

CANADA MANITOBA

Beauséjour	96031	50N10	−26 04	+ 6 26 04
Boissevain	100003	49N14	−40 52	+ 6 40 52
Brandon	99057	49N51	−39 48	+ 6 39 48
Dauphin	100004	51N09	−40 16	+ 6 40 16
Minnedosa	99048	50N15	−39 12	+ 6 39 12
Morden	98006	49N11	−32 24	+ 6 32 24
Portage-la-Prairie	98018	49N58	−33 12	+ 6 33 12
Port Nelson	92050	57N01	−11 20	+ 6 11 20
St-Boniface	97008	49N56	−28 32	+ 6 28 32
Selkirk	96054	50N08	−27 36	+ 6 27 36
The Pas	101015	53N49	−45 00	+ 6 45 00
Winnipeg	97009	49N53	−28 36	+ 6 28 36

Tableau XIX
NOUVEAU-BRUNSWICK

Bathurst, Gloucester	65039	47N37	−22 36	+	4	22 36
Chatham, Northumberland	65028	47N02	−21 52	+	4	21 52
Dalhousie, Restigouche	66022	48N04	−25 28	+	4	25 28
Edmunston, Madawaska	68020	47N22	−33 20	+	4	33 20
Fredericton, York	66039	45N58	−26 36	+	4	26 36
Moncton, Westmorland	64048	46N05	−19 12	+	4	19 12
Newcastle, Northumberland	65034	47N00	−22 16	+	4	22 16
Saint-Jean, Saint-Jean	66003	45N16	−24 12	−	4	24 12
St. Stephen, Charlotte	67017	45N12	−29 08	−	4	29 08
Sackville, Westmorland	64022	45N54	−17 38	+	4	17 28
Sussex, Royal	65030	45N43	−22 00	+	4	22 00
Woodstock, Carleton	67034	46N09	−30 16	+	4	30 16

Tableau XX
NOUVELLE-ÉCOSSE

Amherst, Cumberland	64013	45N50	−16 52	+	4	16 52
Antigonish, Antigonish	61058	45N38	− 7 52	+	4	07 52
Bridgewater, Lunenburg	64033	44N22	−18 12	+	4	18 12
Dartmouth, Halifax	63033	44N40	−14 12	+	4	14 12
Glace Bay, Cap Breton	59057	46N12	+ 0 12	+	3	59 48
Guysborough, Guysborough	61030	45N24	− 6 00	+	4	06 00
Halifax, Halifax	63035	44N38	−14 20	+	4	14 20
Inverness, Inverness	61018	46N14	− 5 12	+	4	05 12
Kentville, Kings	64030	45N05	−18 00	+	4	18 00
Liverpool, Queens	64043	44N02	−18 52	+	4	18 52
Lunenburg, Lunenburg	64019	44N23	−17 16	+	4	17 16
New Glasgow, Pictou	62039	45N35	−10 36	+	4	10 36
New Waterford, Cap Breton	60005	46N15	− 0 20	+	4	00 20
North Sydney, Cap Breton	60015	46N13	− 1 00	+	4	01 00
Pictou, Pictou	62043	45N41	−10 52	+	4	10 52
Port Hawkesbury, Inverness	61021	45N37	− 5 24	+	4	05 24
Shelburne, Shelburne	65019	43N45	−21 16	+	4	21 16
Springhill, Cumberland	64004	45N39	−16 16	+	4	16 16
Stellarton, Pictou	62038	45N34	−10 32	+	4	10 32
Sydney, Cap Breton	60012	46N09	− 0 48	+	4	00 48
Sydney Mines, Cap Breton	60014	46N15	− 0 56	+	4	00 56
Trenton, Pictou	62038	45N37	−10 32	+	4	10 32
Truro, Colchester	63017	45N22	−13 08	+	4	13 08
Westville, Pictou	62043	45N35	−10 52	+	4	10 52
Windsor, Hants	64008	45N00	−16 52	+	4	16 32
Yarmouth, Yarmouth	66007	43N50	−24 28	+	4	24 28

Tableau XXI

ONTARIO

Almonte, Lanark	76012	45N14	− 4 48	+ 5 04 48
Amhergtburg, Essex	83007	42N07	−32 28	+ 5 32 28
Arnprior, Renfrew	76041	45N26	− 6 44	+ 5 06 44
Aurora, York	79038	44N00	−17 52	+ 5 17 52
Barrie, Simcoe	79041	44N23	−18 44	+ 5 18 44
Belleville, Hastings	77024	44N10	− 9 36	+ 5 09 36
Blind River, Algoma	82058	46N11	−31 52	+ 5 31 52
Bowmanville, Durham	78040	43N55	−14 40	+ 5 14 40
Brampton, Peel	79045	43N41	−19 00	+ 5 19 00
Brantford, Brantford	80016	43N08	−21 04	+ 5 21 04
Brockville, Leeds	75042	44N35	− 2 48	+ 5 02 48
Burlington, Halton	79049	43N19	−19 16	+ 5 19 16
Campbellford, Northumberland	77047	44N19	−11 08	+ 5 11 08
Chatham, Kent	82012	42N24	−28 48	+ 5 28 48
Cobalt, Timiskaming	79041	47N24	−18 44	+ 5 18 44
Cochrane, Cochrane	81001	49N04	−24 04	+ 5 24 04
Collingwood, Simcoe	80012	44N30	−20 48	+ 5 20 48
Copper Cliff, Nipissing	81003	46N28	−24 12	+ 5 24 12
Cornwall, Stormont	74044	45N01	+ 1 04	+ 4 58 56
Dundas, Wentworth	79059	43N16	−19 56	+ 5 19 56
Dunnville, Haldimand	79037	42N55	−18 28	+ 5 18 28
Fort Érié, Welland	78056	42N54	−15 44	+ 5 15 44
Fort Frances, Kenora	93023	48N37	−13 32	+ 6 13 32
Fort William, Algoma	89013	48N22	−56 52	+ 5 56 52
Georgetown, Halton	79056	43N39	−19 44	+ 5 19 44
Geraldton, Port Arthur	86058	49N43	−47 52	+ 5 47 52
Goderich, Huron	81043	43N44	−26 52	+ 5 26 52
Guelph, Wellington	80015	43N33	−21 00	+ 5 21 00
Hamilton, Wentworth	79053	43N16	−19 32	+ 5 19 32
Hanover, Grey	81001	44N09	−24 04	+ 5 24 04
Hawkesbury, Prescott	74037	45N37	+ 1 32	+ 4 58 28
Huntsville, Muskoka	79014	45N19	−16 56	+ 5 16 56
Ingersoll, Oxford	80053	43N03	−23 32	+ 5 23 32
Kapuskasing, Cochrane	82026	49N25	−29 44	+ 5 29 44
Kenora, Kenora	94026	49N17	−17 44	+ 6 17 44
Kincardine, Bruce	81037	44N11	−26 88	+ 5 26 28
Kitchener, Waterloo	80029	43N27	−21 56	+ 5 21 56
Kingston, Frontenac	76029	44N14	− 5 56	+ 5 05 56
Liskeard, Timiskaming Lake	79040	47N30	−18 40	+ 5 18 40
Listowel, Perth	80057	43N44	−23 48	+ 5 23 48
Leamington, Essex	82037	42N03	−30 28	+ 5 30 28
Leaside, York	79021	43N42	−17 24	+ 5 17 24
Lindsay, Victoria	78043	44N21	−14 52	+ 5 14 52

London, London	81015	42N59	−25 00	+ 5 25 00
Meaford, Grey	80034	44N36	−22 16	+ 5 22 16
Midland, Simcoe	79055	44N45	−19 40	+ 5 19 40
Mimico, York	79030	43N37	−18 00	+ 5 18 00
Napanee, Lennox & Add.	76057	44N15	−17 48	+ 5 07 48
Newmarket, York	79027	44N03	−17 48	+ 5 17 48
Niagara Falls, Welland	79006	43N04	−16 24	+ 5 16 24
North Bay, Nipissing	79028	46N18	−17 52	+ 5 17 52
Oakville, Halton	79040	43N27	−18 40	+ 5 18 40
Orangeville, Dufferin	80006	43N55	−20 24	+ 5 20 24
Orillia, Simcoe	79025	44N36	−17 40	+ 5 17 40
Oshawa, Ontario	78051	43N53	−15 24	+ 5 15 24
Ottawa, Carleton	75042	45N25	− 2 48	+ 5 02 48
Owen Sound, Grey	80057	44N34	−23 48	+ 5 23 48
Parry Sound, Parry Sound	80002	45N21	−20 08	+ 5 20 08
Pembrooke, Renfrew	77008	45N49	− 8 32	+ 5 08 32
Penetanguishene, Simcoe	79057	44N46	−19 48	+ 5 19 48
Perth, Lanark	76015	44N54	− 5 00	+ 5 05 00
Peterborough, Peterborough	78020	44N18	−13 20	+ 5 13 20
Petrolia, Lambton	82009	42N52	−28 36	+ 5 28 36
Picton, Prince Edward	77008	44N00	− 8 32	+ 5 08 32
Thunder Bay, Algoma	89013	48N25	−56 52	+ 5 56 52
Port Colborne, Welland	79015	42N53	−17 00	+ 5 17 00
Port Hope, Durham	78017	43N57	−13 08	+ 5 13 08
Prescott, Granville	75031	44N43	− 2 04	+ 5 02 04
Renfrew, Renfrew	76042	45N29	− 6 48	+ 5 06 48
St. Catherines, Lincoln	79015	43N10	−17 00	+ 5 17 00
St. Marys, Perth	81008	43N15	−24 32	+ 5 24 32
St.Thomas, Elgin	81012	42N47	−24 48	+ 5 24 48
Sarnia, Lambton	82024	42N58	−29 36	+ 5 29 36
Sault-Sainte-Marie, Algoma	84021	46N21	−37 24	+ 5 37 24
Simcoe, Norfolk	80018	42N50	−21 12	+ 5 21 12
Smiths Falls, Lanark	76001	44N54	− 4 04	+ 5 04 04
Southampton, Bruce	81023	44N30	−25 32	+ 5 25 32
Stratford, Perth	80059	43N22	−23 56	+ 5 23 56
Strathroy, Middlesex	81037	42N57	−26 28	+ 5 26 28
Sturgeon Falls, Nipissing	79056	46N22	−17 44	+ 5 17 44
Sudbury, Nipissing	81000	46N30	−24 00	+ 5 24 00
Thorold, Welland	70012	43N07	−16 48	+ 5 16 48
Tillsonburg, Oxford	80044	42N52	−22 56	+ 5 22 56
Timmins, Cochrane	81020	48N28	−25 20	+ 5 25 20
Toronto, York	79022	43N39	−17 28	+ 5 17 28
Trenton, Hastings	77034	44N07	−10 16	+ 5 10 16
Walkerton, Grey	81009	44N07	−24 36	+ 5 24 36
Wallaceburg, Kent	82023	42N35	−29 32	+ 5 29 32
Waterloo, Waterloo	80031	43N28	−22 04	+ 5 22 04

Welland, Welland	79015	43N00	−17 00	+ 5 17 00
Whitby, Ontario	78055	43N52	−15 40	+ 5 15 40
Windsor, Essex	83002	42N19	−32 08	+ 5 32 08
Woodstock, Oxford	80045	43N07	−23 00	+ 5 23 00

Tableau XXII
ZAÏRE

Búj	29E21	3S24	− 2 36	− 1 57 24
Boma	13E17	5S51	− 7 32	− 0 52 28
Costermansville, Lowa	28E52	2S29	− 4 32	− 1 55 28
Elizabethville, Haut Luap	27E28	11S39	−10 08	− 1 49 52
Mbanza Ngungu, Matadi	14E50	5S14	− 0 40	− 0 59 20
Mbandaka, équateur	18E16	0N03	+13 04	− 1 13 04
Kalemic, Tang	25E11	5S56	− 3 16	− 1 56 44
Kalemin, Tang	13E28	5S49	− 6 08	− 0 53 52
Kigali	30E01	1S57	+ 0 04	− 2 00 04
Kitega	29E57	3S26	− 0 12	− 1 59 48
Kimshasa	15E18	4S19	+ 1 12	− 1 01 12
Kisamgani, Stanleyville	25E11	0N30	−19 16	− 1 40 44

Tableau XXIII
ÉGYPTE

Alexandrie, Alexandrie	29E54	31N11	− 0 24	− 1 59 36
Assouan, Assouan	32E54	24N05	+11 36	− 2 11 36
Assiout, Assiout	31E11	27N11	+ 4 44	− 2 04 44
Benha	31E11	30N27	+ 4 44	− 2 04 44
Beni Suef, Beni Suef	31N06	29N04	+ 4 24	− 2 04 24
Le Caire, Le Caire	31E15	30N03	+ 5 00	− 2 05 00
Damanhour, Behera	30E28	31N02	+ 1 52.	− 2 01 52
Damiette, Dumyat	31E49	31N26	+ 6 16	− 2 06 16
El Alamein	28E58	30N49	− 4 08	− 1 55 52
El Arich, Sinai	33E48	31N08	+15 12	− 2 15 12
Al Ashmounyan, Assiout	30E48	27N46	+ 3 12	− 2 03 12
El Fayum	30E51	29N19	+ 3 24	− 2 03 24
Al Minya, Al Minya	30E45	29N13	+ 3 00	− 2 03 00
Girga, Girga	31E54	26N20	+ 7 36	− 2 07 36
Giseh	31E13	30N01	+ 4 52	− 2 04 52
Heliopolis, Le Caire	31E19	30N06	+ 5 16	− 2 05 16
Ismaïla, Canal de Suez	32E17	30N35	+ 9 08	− 2 09 08
Louxor, Kenéh	32E39	25N42	+10 36	− 2 10 36
Maballa el Kubra, Gharbia	31E10	30N58	+ 4 40	− 2 04 40
Mansourah, Dakhaliéh	31E23	31N03	+ 5 32	− 2 05 32
Matruh	27E15	31N21	−11 00	− 1 49 00
Qena, Qena	32E43	26N10	+10 52	− 2 10 52

Port Saïd, Canal de Suez	32E18	31N15	+ 9 12	− 2 09 12
Rosette, Béhéra	30E25	31N24	+ 1 40	− 2 01 40
Salum	25E09	31N33	−19 24	− 1 40 36
Shibin al Kom	31E01	30N34	+ 4 04	− 2 04 04
Suez	32E33	29N59	+10 12	− 2 10 12
Tanta	31E00	30N48	+ 4 00	− 2 04 00
Zagazic, Charkiéh	31E30	30N35	+ 6 00	− 2 06 00

Tableau XXIV

FRANCE

Abbeville, Somme	1E50	50N07	+ 7 20	− 0 07 20
Agen, Lot-et-Garonne	0E37	44N12	+ 2 28	− 0 02 28
Ajaccio, Corse	8E43	41N55	+ 34 52	− 0 34 52
Albi, Tarn	2E09	43N56	+ 8 36	− 0 08 36
Alençon, Orne	0E06	48N26	+ 0 06	− 0 00 24
Alès, Gard	4E05	44N07	+16 20	− 0 16 20
Amiens, Somme	2E18	49N54	+ 9 12	− 0 09 12
Anger, Maine-et-Loire	0O33	47N28	− 2 12	+ 0 02 12
Angoulême, Charente	0E09	45N39	+ 0 36	− 0 00 36
Annecy, Hte-Savoie	6E08	45N54	+24 32	− 0 24 32
Arles-sur-Rhône, B-du-Rhône	4E38	43N41	+18 32	− 0 18 32
Armentières, Nord	2E52	50N42	+11 28	− 0 11 28
Arras, Pas-de-Calais	2E47	49N17	+11 08	− 0 11 08
Auch, Gers	0E35	43N39	+ 2 20	− 0 02 20
Auray, Morbihan	3O01	47N40	−12 04	+ 0 12 04
Aurillac, Cantal	2E27	44N56	+ 9 48	− 0 09 48
Auxerre, Yvonne	3E34	47N48	+14 16	− 0 14 16
Avallon, Yonne	3E54	47N29	+15 36	− 0 15 36
Avignon, Vaucluse	4E48	43N57	+19 12	− 0 19 12
Bar-le-Duc, Meuse	5E10	48N46	+20 40	− 0 20 40
Bayeux, Calvados	0O42	49N17	− 2 48	+ 0 02 48
Bayonne, Basses-Pyr	1O29	43N30	− 1 29	+ 0 05 56
Beauvais, Oise	2E05	49N26	+ 8 20	− 0 08 20
Belfort, Territoire	6E52	47N38	+27 28	− 0 27 28
Besançon, Doubs	6E01	47N15	+24 04	− 0 24 04
Biarritz, Basses-Pyr	1O34	43N28	− 6 16	+ 0 06 16
Blois, Loire-et-Cher	1E20	47N35	+ 5 20	− 0 05 20
Bordeaux, Gironde	0O35	44N50	+ 2 20	− 0 02 20
Boulogne-sur-Mer, Pas-de-Calais	1E37	50N44	+ 6 28	− 0 06 28
Bourges, Cher	2E24	47N05	+ 9 36	− 0 09 36
Brest, Finistère	4O29	48N23	−17 56	+ 0 17 56
Brive-la-Gaillarde, Corrèze	1E32	45N09	+ 6 08	− 0 06 08
Caen, Calvados	0O21	49N11	− 1 24	− 0 01 24
Calais, Pas-de-Calais	1E51	50N57	+ 7 24	− 0 07 24
Cambrai, Nord	5E14	50N11	+12 56	− 0 12 56

Cannes, Alpes Maritimes	7E00	43N33	+ 28 00	− 0 28 00
Carcassonne, Aude	2E21	43N13	+ 9 24	− 0 09 24
Castres, Tarn	2E15	43N36	+ 9 00	− 0 09 00
Châlon-sur-Saône, Saône-et Loire	4E51	46N47	+ 19 24	− 0 19 24
Châlons-sur-Marne, Marne	4E22	48N57	+ 17 28	− 0 17 28
Chambéry, Savoie	5E55	45N34	+ 23 40	− 0 23 40
Chartres, Eure-et-Loire	1E29	48N27	+ 5 56	− 0 05 56
Chateauroux, Indre	1E42	46N49	+ 6 48	− 0 06 48
Château-Thierry, Aisne	3E24	49N02	+ 13 36	− 0 13 36
Chaumont, Hte-Marne	5E08	48N07	+ 20 32	− 0 20 32
Cherbourg, Manche	1O37	49N39	− 6 28	+ 0 06 28
Saint-Claude, Jura	5E52	47N23	+ 23 28	− 0 23 28
Clermont-Ferrand, Puy-de-Dôme	3E05	45N47	+ 12 20	− 0 12 20
Colmar, Haut-Rhin	7E21	48N05	+ 29 24	− 0 29 24
Compiègne, Oise	2E50	49N25	+ 11 20	− 0 11 20
Dieppe, Seine-Maritime	1E05	49N56	+ 4 20	− 0 04 20
Dijon, Côte-d'Or	5E05	47N19	+ 20 20	− 0 20 20
Douai, Nord	3E05	50N22	+ 12 20	− 0 12 20
Draguignan, Var	6E28	43N32	+ 25 52	− 0 25 52
Dunkerque, Nord	2E22	51N02	+ 9 28	− 0 09 28
Épernay, Marne	3E57	49N03	+ 15 48	− 0 15 48
Épinal, Vosges	6E27	48N10	+ 25 48	− 0 25 48
Évreux, Eure	1E09	49N02	+ 4 36	− 0 04 36
Flers, Orne	0O33	48N45	− 2 12	+ 0 02 12
Foix, Ariège	1E36	42N58	+ 6 24	− 0 06 24
Gap, Htes-Alpes	6E05	44N34	+ 24 20	− 0 24 20
Grenoble, Isère	5E44	45N11	+ 22 56	− 0 22 56
Hendaye, Basses-Pyr.	1O44	43N22	− 6 56	+ 0 06 56
Issoudun, Indre	2E00	46N57	+ 8 00	− 0 08 00
Laon, Aisne	3E57	49N34	+ 14 28	− 0 14 28
La Rochelle, Charente-Maritime	1O09	46N09	− 4 36	+ 0 04 36
Laval, Mayenne	0O46	48N04	− 3 04	+ 0 03 04
Le Havre, Seine-Maritime	0E07	49N29	+ 0 28	− 0 00 28
Le Creusot, Saône-et-Loire	4E26	46N48	+ 17 44	− 0 17 44
Le Mans, Sarthe	0E12	48N00	+ 0 48	− 0 00 48
Le Puy, Haute-Loire	3E53	45N03	+ 15 32	− 0 15 32
Lille, Nord	3E04	50N39	+ 12 16	− 0 12 16
Limoges, Haute-Vienne	1E16	45N50	+ 5 04	− 0 05 04
Lisieux, Calvados	0E14	49N09	+ 0 56	− 0 00 56
Lorient, Morbihan	3O21	47N45	−13 24	+ 0 13 24
Lourdes, Hautes-Pyr	0O02	43N07	− 0 08	+ 0 00 08
Luneville, Meurthe-et-Moselle	6E30	48N36	+ 26 00	− 0 26 00
Lyon, Rhône	4E49	45N46	+ 19 16	− 0 19 16
Macon, Seine et Loire	4E50	46N18	+ 19 20	− 0 19 20
Marseille, Bouches-du-Rhone	5E23	43N19	+ 21 32	− 0 21 32
Maubeuge, Nord	3E59	50N17	+ 15 56	− 0 15 56

Mende, Lozère	3E30	44N31	+ 14 00	− 0 14 00
Menton, Alpes-Maritimes	7E30	43N47	+ 30 00	− 0 30 00
Metz, Moselle	6E10	49N07	+ 24 40	− 0 24 40
Mézières, Ardennes	4E13	49N45	+ 18 52	− 0 18 52
Montauban, Tarn-et-Garonne	1E21	44N01	+ 5 24	− 0 05 24
Mont-de-Marsan, Landes	0030	43N54	− 2 00	+0 02 00
Montpellier, Hérault	3E50	43N37	+ 15 30	− 0 15 30
Moulins, Allier	3E20	46N34	+ 13 20	− 0 13 20
Mulhouse, Haut-Rhin	7E21	46N45	+ 29 24	− 0 29 24
Nancy, Meurthe-et-Moselle	6E11	48N42	+ 24 44	− 0 24 44
Nantes, Loire-Inférieure	1033	47N13	− 6 12	+ 0 06 12
Narbonne, Aude	3E00	43N11	+ 12 00	− 0 12 00
Nevers, Nièvres	3E09	46N59	+ 12 36	− 0 12 36
Nice, Alpes-Maritimes	7E17	43N42	+ 29 08	− 0 29 08
Nîmes, Gard	4E21	43N51	+ 17 24	− 0 17 24
Niort, Deux-Sèvres	0028	46N19	− 1 52	+0 01 52
Orléans, Loiret	1E55	47N54	+ 7 40	− 0 07 40

PARIS ET ENVIRONS

Paris, Observatoire, Seine	2E20	48N50	+ 9 20	− 0 09 20
Argenteuil, Seine et Oise	2E15	48N57	+ 9 00	− 0 09 00
Asnières, Seine	2E18	48N55	+ 9 12	− 0 09 12
Aubervilliers, Seine	2E22	48N55	+ 9 28	− 0 09 28
Boulogne-Billancourt, Seine	2E15	48N50	+ 9 00	− 0 09 00
Clichy-la-Garenne, Seine	2E18	48N54	+ 9 12	− 0 09 12
Colombes, Seine	2E15	48N55	+ 9 00	− 0 09 00
Courbevoie, Seine	2E16	48N54	+ 9 04	− 0 09 04
Drancy, Seine	2E24	48N55	+ 9 36	− 0 09 36
Issy-les-Moulineaux, Seine	2E18	48N50	+ 9 12	− 0 09 12
Ivry-sur-Seine, Seine	2E24	48N48	+ 9 36	− 0 09 36
Levallois-Peret, Seine	2E19	48N54	+ 9 16	− 0 09 16
Maison Alfort, Seine	2E19	48N48	+ 9 16	− 0 09 16
Melun, Seine et Marne	2E40	48N33	+ 10 40	− 0 10 40
Montreuil sous-bois, Seine	2E27	48N51	+ 9 48	− 0 09 48
Montrouge, Seine	2E20	48N49	+ 9 20	− 0 09 20
Nanterre, Seine	2E12	48N54	+ 8 48	− 0 08 48
Neuilly-sur-Seine, Seine	2E17	48N53	+ 9 08	− 0 09 08
Pantin, Seine	2E25	48N54	+ 9 40	− 0 09 40
Saint-Cyr-l'École, Seine et Oise	2E04	48N48	+ 8 16	− 0 08 16
Saint-Denis, Seine	2E22	48N56	+ 9 28	− 0 09 28
Saint-Germain-en-Laye, S et O	2E05	48N54	+ 8 20	− 0 08 20
Saint-Maure des Fossés, Seine	2E29	48N48	+ 9 56	− 0 09 56
Saint-Ouen, Seine	2E20	48N54	+ 9 20	− 0 09 20
Versailles, Seine et Oise	2E08	48N48	+ 8 32	− 0 08 32
Vincennes, Seine	2E27	48N51	+ 9 48	− 0 09 48

Pau, Basses-Pyrénées	0O22	43N18	– 1 28	+ 0 01 28
Périgueux, Dordogne	0E43	45N11	+ 2 52	– 0 02 52
Perpignan, Pyrénées-Orientales	2E54	42N42	+11 36	– 0 11 36
Poitiers, Vienne	0E20	46N35	+ 1 20	– 0 01 20
Privas, Ardèche	4E36	44N44	+18 24	– 0 18 24
Quimper, Finistère	4O06	48N00	–16 24	+ 0 16 24
Reims, Marne	4E02	49N15	+16 08	– 0 16 08
Rennes, Ille et Vilaine	1O45	48N07	– 7 00	+ 0 07 00
Rochefort, Charente-Maritime time	0O58	45N56	– 3 52	+ 0 03 52
Rodez, Aveyron	2E35	44N21	+10 20	– 0 10 20
Roubaix, Nord	3E10	50N42	+12 40	– 0 12 40
Rouen, Seine-Maritime	1E08	48N26	+ 4 32	– 0 04 32
Saint-Étienne, Loire	4E23	45N26	+17 32	– 0 17 32
Saint-Lô, Manche	1O06	49N07	– 4 24	+ 0 04 24
Saint-Malo, Ille et Vilaine	2W01	48N39	– 8 04	+ 0 08 04
Saint-Nazaire, Loire-Inf.	2O12	47N16	– 9 48	+ 0 08 48
Saint-Omer, Pas-de-Calais	2E15	50N45	+ 9 00	– 0 09 00
Saint-Quentin, Aisne	3E18	49N51	+13 12	– 0 13 12
Sedan, Ardennes	4E57	49N42	+19 48	– 0 19 48
Soissons, Aisne	3E19	49N23	+13 16	– 0 13 16
Strasbourg, Bas-Rhin	7E46	48N35	+31 04	– 0 31 04
Tarbes, Htes-Pyr	0E05	43N14	+ 0 20	– 0 00 20
Toulon, Var	5E56	43N07	+23 44	– 0 23 44
Toulouse, Hte-Garonne	1E26	43N36	+ 5 44	– 0 05 44
Tours, Indre-et-Loire	0E42	47N23	+ 2 48	– 0 02 48
Troyes, Aube	4E05	48N18	+16 20	– 0 16 20
Tulle, Corrèze	1E46	45N16	+ 7 04	– 0 07 04
Valence, Drome	4E53	44N56	+19 32	– 0 19 32
Valenciennes, Nord	3E31	50N21	+14 04	– 0 14 04
Vannes, Morbihan	2O46	47N40	–11 04	+ 0 11 04
Vendôme, Loire-et-Cher	1E04	47N48	+ 4 16	– 0 14 16
Verdun-sur-Meuse, Meuse	5E24	49N10	+21 36	– 0 21 36
Vesoul, Hte-Saône	6E09	47N37	+24 36	– 0 24 36
Vienne, Isère	1E22	47N32	+ 5 28	– 0 05 28

Tableau XXV

GUADELOUPE

Basse-Terre	60O44	16N00	– 2 56	+ 4 02 56
Bourge, Îles des Saintes	61O36	15N52	– 6 20	+ 4 06 20
Goyave	61O35	16N08	– 6 20	+ 4 06 20
Grand-Bourg, Marie-Galante	61O19	15N53	– 5 16	+ 4 05 16
Grande-Anse, la Désirade	61O05	16N18	– 4 20	+ 4 04 20
Marigot, St-Martin	63O06	18N04	–12 24	+ 4 12 24
Pointe-à-Pitre	61O35	16N14	– 6 12	+ 4 06 12
Port-Louis	61O32	16N25	– 6 08	+ 4 06 08
Sainte-Rose	61O42	16N20	– 6 48	+ 4 06 48

Tableau XXVII
GUYANE

Cap Haïtien, Nord	72013	19N47	+ 11 08	+ 4 48 52
Cayenne	52020	4N57	+ 30 40	+ 3 29 29
Gonaïves	72040	19N27	+ 9 20	+ 4 50 40
Jacmel, Ouest	72032	18N14	+ 9 52	+ 4 50 08
Jérémie, Sud	74007	18N39	+ 3 32	+ 4 56 28
Les Cayes, Sud	73044	18N12	+ 5 04	+ 4 54 56
Mana	53049	5N39	+ 24 16	+ 3 25 44
Port-au-Prince, Ouest	72020	18N33	+ 10 40	+ 4 49 20
Port de Paix, Nord-Ouest	72047	19N58	+ 8 52	+ 4 51 08
St-Laurent-du-Maroni	54003	5N30	+ 23 48	+ 3 36 12
Saint-Marc Atr.	72042	19N07	+ 9 12	+ 4 50 48

Tableau XXVIII
INDES

Chandernagor, Bengale	88E22	22N52	+ 23 28	− 5 53 28
Karikal, Madras	79E51	10N55	− 10 36	− 5 19 24
Mahé, Madras	75E32	11N42	− 27 52	− 5 02 08
Pondichéry, Madras	79E50	11N56	− 10 40	− 5 19 20
Yanaon, Madras	82E13	16N44	− 1 08	− 5 28 52

Tableau XXIX
MOYEN-ORIENT

Alep, Syrie	37E09	36N11	+ 28 36	− 2 28 36
Baalbeck, Liban	36E12	34N01	+ 24 48	− 2 24 48
Baniyas, Syrie	35E57	35N11	+ 23 48	− 2 23 48
Beyrouth, Liban	35E28	35N54	+ 21 52	− 2 21 52
Damas, Syrie	36E18	33N30	+ 25 12	− 2 25 12
Deir-ez-Zor, Syrie	40E08	35N21	+ 40 32	− 2 40 32
Fik, Syrie	35E42	32N48	+ 22 48	− 2 22 48
Haffa, Syrie	36E02	35N36	+ 24 08	− 2 24 08
Hama, Syrie	36E45	35N08	+ 27 00	− 2 27 00
Homs, Syrie	36E43	34N44	+ 26 52	− 2 26 52
Idlib, Syrie	36N37	35N55	+ 26 28	− 2 26 28
Latakia, Syrie	35E45	35N31	+ 23 00	− 2 23 00
Safita, Syrie	36E07	34N49	+ 24 28	− 2 24 28
Saida, Liban	35E22	33N34	+ 21 28	− 2 21 28
Soueida, Jebel Druse	36E34	32N43	+ 26 16	− 2 26 16

Sour, Liban	35E11	33N17	+ 20 44	− 2 20 44
Tripoli, Liban	35E50	34N27	+ 23 20	− 2 23 20
Zahle, Liban	35E54	33N51	+ 23 36	− 2 23 36

Tableau XXX

LUXEMBOURG

Clervaux	6E02	50N03	−35 52	− 0 24 08
Diekirch, Diekirch	6E10	49N53	−35 20	− 0 24 40
Echternach	6E25	49N48	−34 20	− 0 25 40
Grevenmacher	6E26	49N41	−34 16	− 0 25 44
Luxembourg, Luxembourg	6E10	49N38	−35 20	− 0 24 40
Wiltz, Gaz	5E56	49N58	−36 16	− 0 23 44

Tableau XXXI

MADAGASCAR

Diego Suarez	49E18	12S17	+ 17 12	− 3 17 12
Dzaoudzi	45E17	12S47	+ 1 08	− 3 01 08
Fenerive	49E24	17S22	+ 17 36	− 3 17 36
Fort Dauphin	47E01	25S01	+ 8 04	− 3 08 04
Maevatanana	46E47	16S54	+ 7 08	− 3 07 08
Mahajamba	46E20	15S44	+ 5 20	− 3 05 20
Moroni, Grande Comore	43E14	11S40	− 7 04	− 2 52 56
Mutsamuau	44E24	19S09	− 2 24	− 2 57 36
Tananarive	47E30	18S54	+ 10 00	− 3 10 00
Tulear	43E38	23S20	− 5 28	− 2 54 32

Tableau XXXII

MARTINIQUE

Carbet (Le)	61011	14N43	− 4 44	+ 4 04 44
Diamant (Le)	61002	14N29	− 4 08	+ 4 04 08
Fort-de-France	61005	14N36	− 4 20	+ 4 04 20
Lamentin (Le)	61004	14N47	− 4 16	+ 4 04 16
Marin (Le)	60053	14N28	− 3 32	+ 4 03 32
St-Esprit (Le)	60057	14N34	− 3 48	+ 4 03 48
Trinité (La)	60058	14N44	− 3 52	+ 4 03 52

Tableau XXXIII

MAROC

Agadir	10037	30N26	−42 28	+ 0 42 28
Berguent	2002	34N01	− 8 08	+ 0 08 08

Casablanca	7037	33N37	−30 28	+ 0 30 28
Ceuta	5019	35N54	−21 16	+ 0 21 16
Fès	4058	34N03	−19 52	+ 0 19 52
El Jadida	8030	33N16	−34 00	+ 0 34 00
Essaouira	9045	31N31	−39 00	+ 0 39 00
Larache	6008	35N12	−24 32	+ 0 24 32
Marrakech	7059	31N37	−31 56	+ 0 31 56
Melilla	2056	35N17	−11 44	+ 0 11 44
Meknès	4058	33N54	−19 52	+ 0 19 52
Oudjda	1055	34N41	− 7 40	+ 0 07 40
Quad Zem	6033	32N53	−26 20	+ 0 26 20
Ouezzane	5035	34N48	−22 20	+ 0 22 20
Port Lyautey (Kenitra)	6035	34N17	−26 20	+ 0 26 20
Rabat	6051	34N01	−27 24	+ 0 27 24
Safi	9014	32N18	−36 56	+ 0 36 56
Taza	4001	34N13	−16 04	+ 0 16 04
Tétouan	5022	35N35	−21 28	+ 0 21 28
Tanger	5048	35N47	−25 12	+ 0 23 12

Tableau XXXIV

NOUVELLE-CALÉDONIE

Chépénéhé	167E09	20S47	+ 8 36	−11 08 36
Kanala	165E58	21S52	+ 3 52	−11 03 52
Mou	176010	13S21	+ 1h15 20	+ 11 44 40
Nouméa	166E28	22S16	+ 5 52	−11 05 52
Touho	165E14	20S47	+ 0 50	−11 00 56
Uvéa, Île	163E40	19S40	− 5 20	−10 54 40
Vao, Île des Pins	167E27	22S40	+ 9 48	−11 09 48
Voh	164E43	20S58	− 1 08	−10 58 52
Wala	165E38	21S16	+ 2 32	−11 32 32

Tableau XXXV

LA-RÉUNION

Pointe-des-Galets	55E18	20S55	−18 48	− 3 41 12
St-Denis	55E33	20S52	−17 48	− 3 42 12
St-Paul	55E17	21S00	−18 52	− 3 41 08
St-Pierre	55E31	21S19	−17 56	− 3 42 04

Tableau XXXVI

SUISSE

Argoire	8E03	47N23	−27 48	− 0 32 12
Altdorf, Uri	8E39	46N53	−25 24	− 0 34 36
Appenzell, Appenzell	9E24	47N19	−22 24	− 0 37 36

Bâle	7E36	47N33	−29 36	− 0 30 24
Bellinzona, Ticino	9E02	46N12	−23 52	− 0 36 08
Berne	7E28	46N57	−30 08	− 0 29 52
Biel, Bern	7E14	47N09	−31 04	− 0 28 56
Buchs, St-Gallen	9E28	47N10	−22 08	− 0 37 52
Chiasso, Ticino	8E59	45N52	−24 04	− 0 35 56
Chur, Graubunden	9E32	46N51	−21N52	− 0 38 08
Davos, Graubunden	9E49	46N48	−20 44	− 0 39 16
Frauenfeld, Thurgau	8E54	47N34	−24 24	− 0 35 36
Fribourg	7E10	46N49	−31 20	− 0 28 40
Genève	6E09	46N12	−35 24	− 0 24 36
Glaris	9E04	47N03	−23 44	− 0 36 16
Interlaken	7E52	46N41	−28 32	− 0 31 28
La Chaux-de-Fonds, Neuchatel	6E50	47N06	−32 40	− 0 27 20
Lausanne, Vaud	6E39	46N31	−33 24	− 0 26 36
Locarno, Ticino	8E48	46N10	−24 28	− 0 35 12
Lugano, Ticino	8E57	46N00	−24 12	− 0 35 48
Lucerne	8E18	47N03	−26 48	− 0 33 12
Montreux, Vaud	6E56	46N26	−32 16	− 0 27 44
Neuchâtel	6E55	47N00	−32 20	− 0 27 40
Olten, Solothurn	7E54	47N22	−28 24	− 0 31 36
Porrentruy, Bern	7E04	47N25	−31 44	− 0 28 16
Romanshorn, Thurgau	9E23	47N34	−22 28	− 0 37 32
Rorschach, St-Gallen	9E29	47N28	−22 04	− 0 37 56
Schaffhouse	8E38	47N41	−25 28	− 0 34 32
Schwyz	8E39	47N01	−25 24	− 0 34 36
Soleure	7E32	47N12	−29 52	− 0 30 08
St-Gal	9E23	47N25	−22 28	− 0 37 32
St-Moritz, Graubunden	9E52	46N30	−20 32	− 0 39 28
Thoune	7E38	46N46	−29 28	− 0 30 32
Vaud	6E39	46N47	−33 24	− 0 26 36
Vevey, Vaud	6E51	46N28	−32 36	− 0 27 24
Winterthur, Zurich	8E44	47N30	−25 04	− 0 34 56
Zofingen, Aargau	7E57	47N17	−28 12	− 0 31 48
Zoug	8E31	47N10	−25 56	− 0 34 04
Zurich	8E32	47N22	−25 52	− 0 34 08

Tableau XXXVI

TUNISIE

Bejaïa	9E11	36N43	−23 16	− 0 36 44
Bizerte	9E52	37N17	−20 32	− 0 39 28
Carthage	10E20	36N51	−18 40	− 0 41 20
Djerba	10E52	32N53	−16 32	− 0 43 28
Gabes	10E07	33N54	−19 32	− 0 40 28
Menzel-Bourguiba	9E48	37N09	−20 48	− 0 39 12

Gafsa	8E48	34N25	−24 48	− 0 35 12
Jendouba	8E46	36N30	−24 56	− 0 35 04
Kairouan	10E06	35N40	−19 36	− 0 40 24
La Goulette	10E18	36N49	−18 48	− 0 41 12
Mateur	9E40	37N03	−21 20	− 0 38 40
Sfax	10E46	34N43	−16 56	− 0 43 04
Sousse	10E40	35N50	−17 20	− 0 42 40
Tabarka	8E45	36N57	−25 00	− 0 35 00
Tunis	10E10	36N48	−19 20	− 0 40 40

Tableau XXXVIII

TAHITI

Afareaitu, Moorea 1	149047	17S32	+ 9 52	+ 9 59 08
Arué, Rapa 5	144018	27S36	+22 48	+ 9 37 12
Atuana, Hiva-On 2	139036	8S56	+41 36	+ 9 18 24
Bora Bora, Bora Bora 4	151045	16S30	− 7 00	+10 07 00
Matara 5	149028	23S22	+ 2 08	+ 9 57 32
Papeete, Tahiti 1	149034	17S32	+ 1 44	+ 9 58 16
Pueu, Tahiti 1	149013	17S44	+ 3 08	+ 9 56 52
Punavia, Tahiti 1	149036	17S37	+ 1 36	+ 9 58 24
Teahupoo, Tahiti 1	149016	17S50	+ 2 56	+ 9 57 04

Tableau XXXIX

VIET-NAM

Bac Ninh, Tonkin	106E03	21N10	+ 4 12	− 7 04 12
Battambang, Cambodge	103E12	13N05	− 7 12	− 6 52 48
Cao Bang, Tonkin	106E16	22N39	+ 5 04	− 7 05 04
Cholon, Cochinchine	106E40	10N45	+ 6 40	− 7 06 40
Dinh Nam, Tonkin	106E09	20N26	+ 4 36	− 7 04 36
Hoa Binh, Tonkin	105E19	20N49	+ 1 16	− 7 01 16
Hai Duong, Tonkin	106E19	20N56	+ 5 16	− 7 05 16
Haiphong, Tonkin	106E41	20N52	+ 6 44	− 7 06 44
Hanoi, Tonkin	105E50	21N02	+ 3 20	− 7 03 20
Ha tien, Annam	105E53	18N21	+ 3 32	− 7 03 32
Huê,	107E34	16N29	+10 16	− 7 10 16
Kampot, Cambodge	104E11	10N36	− 3 16	− 6 56 44
Kompong-Cham, Cambodge	105E28	12N00	+ 1 52	− 7 01 52
Lao Kay	103E56	22N30	− 4 16	− 6 55 44
Long Xuyên	105E26	10N23	+ 1 44	− 7 01 44
Luang Prabang, Laos	102E08	19N54	−11 28	− 6 48 32
My-tho	106E22	10N21	+ 5 28	− 7 05 29
Phan-Thiêt, Annam	108E06	10N55	+12 24	− 7 12 24
Phnom-Penh	104E52	11N33	− 0 32	− 6 59 28
Qui Nho'n	109E14	13N46	+16 56	− 7 16 56

Rach Gia, Cochinchine	105E05	10N00	+ 0 20	− 7 00 20
Saigon, Cochinchine	106E41	10N47	+ 6 44	− 7 06 44
Samneua, Laos	104E02	20N28	− 3 52	− 6 56 08
Saravane, Laos	106E25	15N43	+ 5 40	− 7 05 40
Stung Treng, Cambodge	105E58	13N31	+ 3 52	− 7 03 52
Thakhek, Laos	104E49	17N24	− 0 44	− 6 59 16
Da Nâng	108E13	16N04	+ 12 52	− 7 12 52
Udon, Thani	104E47	11N48	− 0 52	− 6 59 08
Vientiane, Laos	102E37	17N58	− 9 32	− 6 50 28
Xiemg Khouang, Laos	103E22	19N19	− 6 32	− 6 53 28

Tableau XL

WALLIS

Mata Utu	176O08	13S17	+ 15 28	+ 11 44 32
Mua	176O10	18S21	+ 15 20	+ 11 44 40

LES 7 ÂGES DE L'HOMME:

En astrologie la vie d'un homme ou d'une femme se divise en 7 parties qui sont:

L'enfance, la puérilité, l'adolescence, la jeunesse, la virilité, la vieillesse et la décrépitude.

L'enfance commence au début de la vie et se poursuit jusqu'à la quatrième année. La puérilité va jusqu'à la quatorzième année, l'adolescence jusqu'à vingt-deux ans, la jeunesse jusqu'à quarante et un ans, la virilité jusqu'à cinquante-six, la vieillesse jusqu'à soixante-huit ans la décrépitude jusqu'à quatre-vingt-dix-huit ans. Pour chaque division de sa vie un être humain est sous l'influence du maître de l'âge qui permet de prévoir quel sera le climat de l'année considérée.

Pour les 4 premières années le maître est la LUNE
De la 5e à la 14e année le maître est MERCURE
De la 15e à la 22e année le maître est VÉNUS
De la 23e à la 41e année le maître est le SOLEIL
De la 42e à la 56e année le maître est MARS
De la 57e à la 68e année le maître est JUPITER
De la 69e à la 98e année le maître est SATURNE
De la 99e à la 102e retour à l'enfance la LUNE.

LA PART DE FORTUNE

En astrologie traditionnelle, la part de fortune, que nous avons noté au passage dans le chapitre 6 page 51, a une importance remarquable en ce qui concerne les biens et les richesses du natif. C'est un point fictif que certains astrologues admettent et que d'autres contestent. Ce point est séparé de l'ascendant par le même nombre de degrés que la Lune est éloignée du Soleil.

Pour certains astrologues elle se calcule de la façon suivante:

On ajoute à la longitude de l'ascendant la longitude de la Lune et l'on retranche de cette somme la longitude du Soleil. À titre d'exemple, si un ascendant a une longitude de 207° et que le Soleil se situe à 225° alors que la Lune est à 25°, la part de fortune sera à la longitude:

$$207 + 25 = 232° - 225° = 7°$$

Pour confirmer cette position il faut que l'écart entre la Part de fortune et l'ascendant soit le même que celui qui sépare la Lune du Soleil:

$$207° - 7° = 200° \quad et \quad 225° - 25° = 200°.$$ La part est bien de 7°.

Cependant les anciens astrologues calculaient la part de fortune d'une autre manière. Pour Ptolémée, on doit la calculer en partant du Soleil à la Lune et en y ajoutant les degrés qui montent au signe de l'ascendant. Quant à Juctin de Florence, il détermine la longitude de la part de fortune d'une façon encore toute différente. Mais laissons-lui la parole:

«D'après Ptolémée, la part de fortune dans une naissance est toujours prise du Soleil à la Lune. Or, je dis que dans ma jeunesse j'ai beaucoup étudié pour établir la vérité, car j'ai toujours vu que Ptolémée a dit, et je l'ai retrouvé chez les Égyptiens et les autres, que dans la nuit elle est prise de la Lune, et de jour du Soleil. J'ai longtemps travaillé cette question et j'ai trouvé que si les luminaires sont tous deux sous terre, ou sur terre, on la prendra du Soleil soit de jour ou de nuit; seulement si le Soleil est sur terre on la prendra du Soleil; si le Soleil est sous terre et la Lune sur terre on la prendra de la Lune. Je l'ai observé, et je n'ai jamais été déçu.»

Cette méthode est sans doute valable puisque je l'ai moi-même utilisée et j'ai pu me rendre compte des résultats positifs qu'elle donnait. Il faut cependant ne pas penser qu'à elle seule la Part de fortune détermine les richesses et les biens d'un natif. Abohales dit dans son chapitre 2 verset 9 de même que Abenragel au paragraphe 4, chapitre 12: «Les richesses viennent non seulement de la Part de Fortune, mais aussi des configurations, c'est-à-dire que ces richesses doivent être prises du maître de la maison 2 suivant sa disposition, et la disposition de ce lieu prédira toujours les richesses ou la pauvreté après la Part de Fortune qui en est la cause principale.»

LES NŒUDS DE LA LUNE

Les Nœuds de la Lune sont appelés aussi Tête et Queue du Dragon. La première a la réputation d'être bénéfique et de la nature de Jupiter tandis que la seconde, celle d'être maléfique et de la nature de Saturne.

Le Nœud ascendant ou Tête du Dragon est toujours opposé à la Queue du Dragon ou nœud descendant.

Quand la Tête du Dragon se trouve jointe à une bonne planète ou à une étoile fixe favorable, elle augmente considérablement la force de la prévision. L'inverse est aussi vrai pour la Queue du Dragon.

Les nœuds de la Lune sont déterminés par les points d'intersection de l'orbite lunaire avec l'écliptique. Ils sont toujours rétrogrades et voyagent à la vitesse angulaire de 3' par 24 heures. Il faut généralement à peu près 18 ans pour qu'un nœud de la Lune fasse le tour du zodiaque.

Au 1er janvier 1980, le nœud ascendant se situait à 1°54' dans le signe de la Vierge et il regagnera cette place le 12 août 1998.

RÉPONSES AU QUESTIONNAIRE DU PREMIER CHAPITRE

1) 17°.

2) 23°27'.

3) L'écliptique est une ligne imaginaire qui divise le zodiaque en deux parties égales sur toute sa longueur et qui représente la marche du Soleil parmi les constellations.

4) 23°27'.

5) Le point Vernal est le point précis où l'écliptique coupe l'Équateur Céleste. On appelle aussi cet endroit le Point Zéro et c'est à partir de lui que l'on compte les degrés du zodiaque.

6) Les 12 constellations du zodiaque sont:
BÉLIER, TAUREAU, GÉMEAUX, CANCER, LION, VIERGE, BALANCE, SCORPION, SAGITTAIRE, CAPRICORNE, VERSEAU, POISSONS.

7) 30 degrés.

8) La Longitude d'un point est la mesure d'angle effectuée sur l'écliptique en partant du point vernal. Elle est ouest ou est.

9) La Latitude d'un point est la mesure d'angle effectuée par rapport à L'Équateur. Elle est nord ou sud.

10) a) 1 heure le jour suivant;
    b) 13 heures;
    c) 13 heures 30' ou 1h30' p.m.;
    d) 17 heures ou 5h p.m. en hiver;
    16 heures ou 4h p.m. en été.

RÉPONSES AU QUESTIONNAIRE DU DEUXIÈME CHAPITRE

X ≋ 2 ⚹ ♏︎ ♐︎ ♒︎ ♌︎ Λ λ

Réponse 1

Réponse 2

Le signe de la Vierge se situe entre 150° et 180°, celui du Capricorne entre 270° et 300°, celui du Verseau entre 300° et 330°.

Réponse 3

Si le Soleil d'un sujet se trouve à 248°, ce sujet est du signe du Sagittaire.

Réponse 4

Les éléments nécessaires à la domification d'une carte du ciel sont les éphémérides planétaires et la table des maisons.

Réponses 5 et 6

Les éphémérides planétaires sont des tables de positionnement solaires, lunaires et planétaires pour chaque jour d'une année quelle que soit cette année. Une table de maison, qui généralement se trouve annexée aux éphémérides, est un tableau spécialement conçu pour déterminer les pointes des 12 maisons astrologiques données en fonction de la latitude, du lieu de naissance et du temps sidéral exact de cette naissance.

Réponse 7

L'heure de naissance exacte d'un sujet né le 17 mars 1935 vers 9h00' à Shawinigan est de 9h09'; en effet,

le 17 mars il n'y avait pas d'heure avancée et cette ville se trouve par 72°45' de longitude ouest donc à
72°45' X 4 = 288' 180" ou 291'
291': 60 = 4h 51'

Heure G.M.T. 9h00' + 5h00' = 14h00' ou 13h60'
et 13h60'− 4h51' = 9h09'.

Réponse 8

Si vous étiez né à Amos le 10 octobre 1922 à 19h35', votre heure de naissance exacte serait de 19h23'. En effet,

Amos dans le fuseau 5 est à la longitude de 78°07' donc à 78°07' X 4 = 312' 28" ou 5h12'28" de Greenwich. Lorsqu'il est 19h35' à Amos, il est 0h35' le jour suivant à Greenwich ou encore 24h35' donc 24h35' – 5h12' = 19h23'.

Réponse 9

En ce qui concerne le premier jumeau, il est né à 23h22', mais il y avait des heures avancées ce qui signifie que son heure de naissance normale est de 22h22'. La longitude de Québec est de 71°13' donc l'écart avec Greenwich est de 4h44'52" mais puisque nous négligeons les secondes cela fait 4h44'. Comme Québec se situe dans le fuseau 5, nous aurons:

22h22' + 5h00' = 27h22' et
27h22' – 4h44' = 22h38'

Pour le second jumeau, le déroulement est identique et nous arrivons au résultat de 23h44'.

Réponse 10

En ce qui concerne le plus âgé, les heures avancées étaient en vigueur, donc son heure de naissance normale est de:
23h51' – 1h00' = 22h51'

La longitude de St-Hyacinthe est 72°58' ouest donc
72°58' X 4 = 4h51'52" ou 4h52'
22h51' + 5h = 27h51' (fuseau 5) – 4h52' = 22h59'.

Pour le second jumeau, il n'y avait plus les heures avancées donc après les opérations nécessaires nous arrivions au résultat de:
0h15' + 5h00' = 5h15' ou 4h75'
4h75' – 4h48' = 0h23'.

Nous remarquons qu'alors que ces jumeaux sont nés avec un écart de 24', la différence entre leurs heures de naissance exactes est de 1h24', ce qui changera profondément leur carte du ciel respective.

RÉPONSES AU QUESTIONNAIRE DU TROISIÈME CHAPITRE

Réponse 1

L'H.N.E. du sujet né à Tampa (U.S.A.) est de 4h49'.

Réponse 2

L'H.N.E. de la personne née à Moscou est de 18h01'.

Réponse 3

Le 9 août, le soleil se trouve à 136° dans le zodiaque. Le 8 septembre, il est à 165° et le 7 décembre à 254°.

Réponse 4

Le 2 mars, le soleil se trouve à 341° dans le zodiaque.

Réponse 5

La longitude solaire le 18 juin est de 87° tandis que le 27 septembre, elle est de 183°.

Réponse 6

Le T.S. midi Greenwich est de 1h16' le 11 avril. Le 1er mai il est de 2h33' et le 11 janvier de 19h23'.

Réponse 7

Le T.S. midi Greenwich est de 9h25' le 13 août et de 14h00' le 22 octobre.

Réponse 8

Le T.S.E. d'un sujet né le 14 mars à 15h00' dans la ville de Québec est de 2h41'.

Réponse 9

Le T.S.E d'une personne née le 14 mai 1927 vers 6h16' dans la ville de Sherbrooke est de 20h55'.

Réponse 10

Le T.S.E d'un natif de Montréal à 19h26' le 1er octobre 1933 est de 20h07'.

RÉPONSES AU QUESTIONNAIRE DU QUATRIÈME CHAPITRE

Réponse 1

Les heures avancées n'étaient pas en vigueur et le soleil natal se plaçait à 231° dans le zodiaque; le temps sidéral exact était de 21h10' et cette personne avait l'Ascendant à 13°13' dans les Gémeaux.

Réponse 2

La carte natale du sujet né le 18 février 1933 dans la ville de Montréal à 6h25' avait le Milieu du Ciel à 7°5 dans le signe du Sagittaire.

Réponse 3

Après avoir réalisé toutes les opérations nécessaires à la domification de la carte natale, nous constatons que le natif du 22 août 1960 vers 17h36' à Shawinigan avait:
sa maison 2 à 1° du signe des Poissons
sa maison 6 à 24°9 dans le signe des Gémeaux
sa maison 8 à 1° du signe de la Vierge.

Réponse 4

Pour cet exercice nous trouvions que l'heure de naissance exacte était de 18h33', que le soleil se situait à 278° dans le zodiaque, que le temps sidéral exact était de 1h06' et que la domification se réalisait comme le montre la carte du ciel suivante.

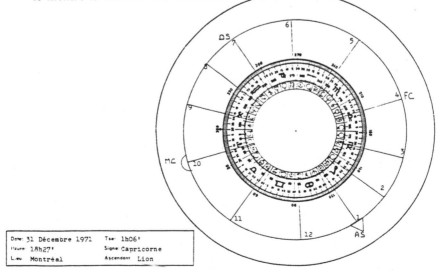

Date: 31 Décembre 1971   Tse: 1h06'
Heure: 18h27'   Signe: Capricorne
Lieu: Montréal   Ascendant: Lion

RÉPONSES AU QUESTIONNAIRE DU CINQUIÈME CHAPITRE

Réponse 1

Voir carte du ciel n° 1.

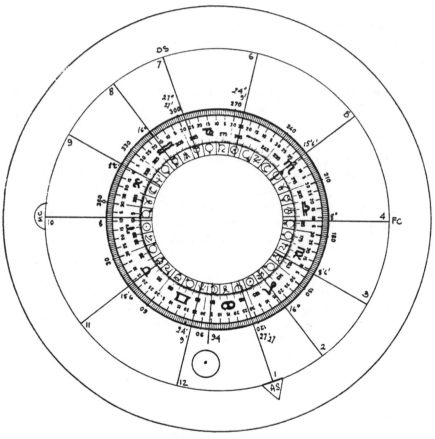

Date: 26 juin 1919	Tse: 0h29'
Heure: 7h00	Signe: CANCER
Lieu: Charlesbourg, Québec	Ascendant: CANCER (27°27')

Réponse 2

Voir carte du ciel n° 2.

Réponse 3

a) La maison 3 nous renseigne sur les frères et les sœurs, les voisins et l'entourage immédiat mais aussi sur les petits déplacements, les demandes écrites, etc.

b) La maison 8 indique les rentrées d'argent qui arrivent par l'intermédiaire d'autrui comme l'argent du conjoint, les héritages, les dons, les legs, les successions, les remboursements d'impôts et les primes d'assurance. C'est aussi la maison des interventions chirurgicales, des deuils et de la mort.

Réponse 4

L'«ENFER DU ZODIAQUE» est la maison 12, car cette maison représente tous les ennuis en général. C'est d'elle qu'arrivent les calomnies, les chagrins, les jalousies, les ennemis cachés, les internements, l'asile, l'hôpital et la prison.

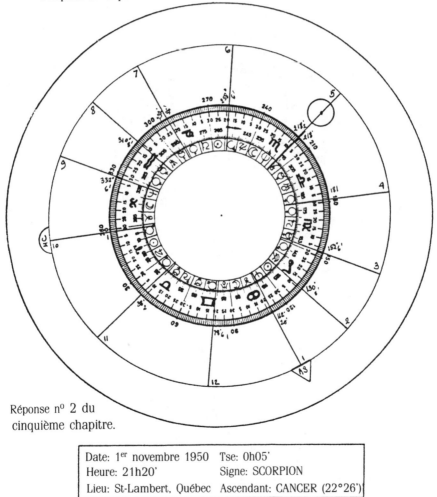

Réponse n° 2 du cinquième chapitre.

Date: 1er novembre 1950	Tse: 0h05'	
Heure: 21h20'	Signe: SCORPION	
Lieu: St-Lambert, Québec	Ascendant: CANCER (22°26')	

RÉPONSES AU QUESTIONNAIRE DU SIXIÈME CHAPITRE

Réponse 1

Il fallait tracer la carte du ciel d'un sujet né le 13 août 1933 et y placer les planètes et les luminaires. Nous ne connaissons pas l'heure de naissance donc nous ne pouvions pas faire la domification. Cependant

Figure n° 1

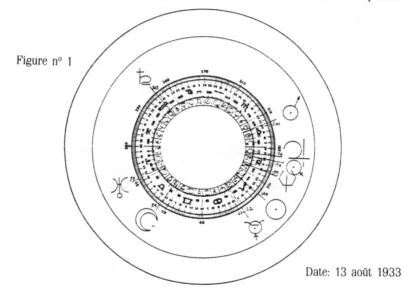

Date: 13 août 1933

en nous reportant aux éphémérides de la page 57 nous trouvions les longitudes de tous les éléments. Ainsi, le soleil était à 140°, la Lune à 54°, Neptune à 159°, Uranus à 27°, Saturne à 312°, Jupiter à 174°, Mars à 202°, Vénus à 170° et enfin Mercure à 123°. Il est admis que nous arrondissions les longitudes au degré près par excès ou par défaut. La figure n° 1 donne la carte ainsi obtenue.

Réponse 2

Les aspects harmoniques d'une planète située à 200° dans le zodiaque ou 20° dans le signe de la Balance, se plaçaient sans orbe à 140° et 260° en ce qui concerne les sextiles, tandis que les trigones se situaient à 80° et 320°. La conjonction entre les planètes «amies» se trouve à 20° de la Balance ou à 200°.

Réponse 3

Les aspects dissonants exacts d'une planète située à 25° du Lion ou 145° se trouvent ainsi placés: les carrés à 235° et 55°, tandis que l'opposition se trouve à 325°.

Réponse 4

Si une planète se trouve à 230°, les sextiles seront à 170° et 290°, tandis que l'opposition sera à 50°.

Réponse 5

Il s'agissait de tracer la carte du ciel natale d'un sujet né le 5 septembre 1934 vers 18h30' dans la ville de Montréal, y placer les planètes et luminaires et enfin y faire figurer tous les aspects en tenant compte des orbes de lumière de 6°. L'Ascendant et le Milieu du ciel participent aux aspects. Voir figure n° 2.

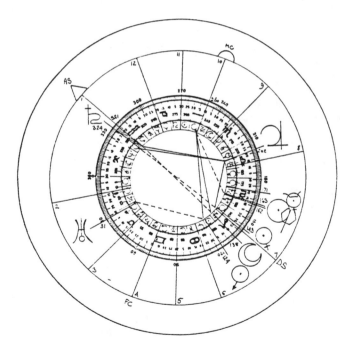

Figure n° 2

Date: 5 septembre 1934	Tse: 16h35'
Heure: 18h30'	Signe: VIERGE
Lieu: Montréal	Ascendant: VERSEAU

RÉPONSE AU QUESTIONNAIRE DU SEPTIÈME CHAPITRE

Il fallait monter la carte du ciel d'un sujet né le 18 février 1933 à 6h22' dans la ville de Québec. Nous devions domifier cette carte du ciel, y placer les planètes, tracer les aspects et déterminer le caractère en fonction des structures générales.

Nous trouvions tout d'abord une heure de naissance exacte de 6h37', un temps sidéral exact de 16h28' et un Soleil se situant à 329° de longitude; le natif était du signe du Verseau et son ascendant était dans le même signe à 319°.

La valorisation des éléments de la carte nous donnait les renseignements suivants;

Dans le groupement saisonnier, les signes printemps-été avaient une valeur de 6 points tandis que les signes automne-hiver s'élevaient à 16. (Voir tableaux, page 227).

Le groupement binaire pour sa part montrait que les signes positifs ou masculins s'élevaient à 15, tandis que les signes féminins ou négatifs représentaient une valeur égale à 7 points. (Voir tableaux page 227).

On remarquera immédiatement que le total du groupement saisonnier tout comme celui du groupement binaire s'élève à 22 points.

L'analyse psychologique laisse supposer que nous sommes en présence d'une personne qui, d'une manière profonde et innée, se trouve introvertie, c'est-à-dire qu'elle a tendance à se replier sur elle-même et qu'elle cache ses sentiments. Le sens théorique, la subjectivité et l'idéalisme sont particulièrement développés chez elle au point de vue caractériel, comme le prouve l'analyse du groupement saisonnier.

D'autre part, les signes positifs ou masculins étant en majorité, on est porté à penser que ce sujet est émetteur d'actions, dynamique, courageux, qu'il réagit avec vigueur face aux événements inattendus de sa vie. Travaillant de manière obscure sans doute, il est malgré tout l'artisan de son propre destin. Nous pouvons aussi noter une tendance à l'impulsivité mal contrôlée, bien que les signes négatifs et féminins ne soient pas en carence.

À certaines occasions, le sujet sera influencé par son entourage et une sorte de timidité, voire de retenue, pourra avoir de l'effet sur son comportement.

Quoi qu'il en soit, l'étude des structures générales nous renseignant sur ses dispositions profondes et innées, nous verrions que les structures individuelles pourraient changer ce tempérament d'une façon volontaire. Ce sera le sujet de prochaines leçons; mais au stade actuel de notre savoir, nous pouvons encore affirmer que notre personnage, bien qu'introverti, possède un idéal qui lui permet d'atteindre les objectifs qu'il s'est assignés, malgré sa tendance à être influençable et subjectif.

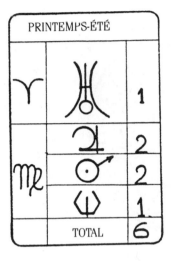

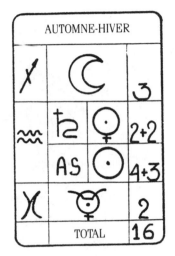

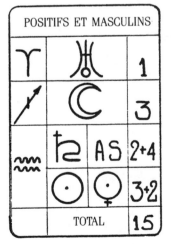

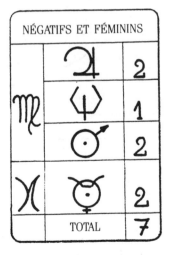

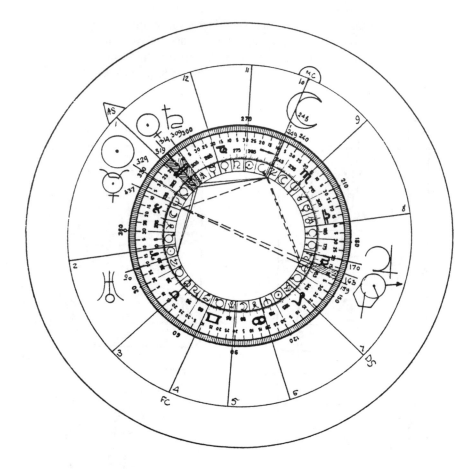

Date: 18 Février 1933	Tse: 16h28'
heure: 6h22'	Signe: VERSEAU
Lieu: QUÉBEC	Ascendant: VERSEAU

Réponse à la septième leçon

RÉPONSE AU QUESTIONNAIRE DU HUITIÈME CHAPITRE

Le sujet né le 10 septembre 1936 à Valleyfield vers 23 heures, avait une heure de naissance exacte de 22h03', un temps sidéral exact de 21h18' et il était Vierge avec un Ascendant en Gémeaux. La carte de la page 228 est celle de notre personnage.

L'évaluation des structures générales donnait les valeurs suivantes:

Printemps-Été:	13	Positif:	12
Automne-Hiver:	8	Négatif:	9
Total:	21	Total:	21
Terre:	4	Cardinaux:	7
Air:	8	Fixes:	3
Feu:	5	Doubles:	11
Eau:	5	Total:	21
Total:	21		

Remarquons que les totaux se chiffrent à 21 points.

ANALYSE PSYCHOLOGIQUE EN FONCTION DES STRUCTURES GÉNÉRALES

Analysant les structures générales de cette personne, nous pensons être en présence d'un sujet extraverti, primesautier, aimant le contact sous toutes ses formes. Cependant, nous le voyons parfois se retrancher dans une profonde réflexion naturelle. Il sait critiquer équitablement, analyser les situations dans lesquelles il s'implique, et sa vie spirituelle l'entraîne aussi à méditer et à tirer des conclusions de ses réflexions. On évalue ces tendances par l'analyse des signes printemps-été prépondérants mais aussi par la valeur appréciable des signes automne-hiver. Donc, ce sujet est indiscutablement extraverti, mais on note une tendance à la réflexion.

Il allie harmonieusement les sens pratique et théorique en faisant une réalité des idéaux qu'il nourrit au fond de lui. Ces idéaux sont réalisés grâce à un dynamisme et un courage naturels dosés judicieusement par l'influence et l'opinion des gens qui l'entourent. Souple et dynamique, il construit son destin en donnant l'impression de le subir (les signes positifs sont égaux à 12 tandis que les négatifs s'élèvent à 9). Nous trouvons aussi un équilibre stable, l'écart entre ces deux éléments du groupement binaire n'indiquant pas de carence. C'est dont un amalgame et une synthèse des deux catégories qu'il nous faut envisager pour traiter psychologiquement du sujet.

Il possède en outre une grande activité mentale qui concrétise sa valeur de réflexion. Il comprend vite des situations difficiles et, curieux de nature, il n'hésite pas à poursuivre plusieurs buts à la fois, qu'il atteint d'ailleurs grâce à son ambition, son esprit d'initiative et sa diplomatie. il est direct dans l'action et parfois il risque de compromettre ses résultats par une sorte de dispersion. (Il y a 11 points en signes doubles et 7 en signes cardinaux. Les signes fixes, bien que n'étant pas en carence, permettent malgré tout de conclure que le natif est parfois intolérant et pourrait pécher par entêtement.)

Ingénieux, il sait s'adapter aux situations, mais il doit éviter d'être superficiel s'il veut profiter des facultés intellectuelles dont il est le détenteur. C'est un sentimental attiré par le domaine psychique, celui de l'occultisme et du mystère. (Signes de Terre = 4, Signes d'Air = 8 Signes de Feu = 4 et enfin Signes d'Eau = 5).

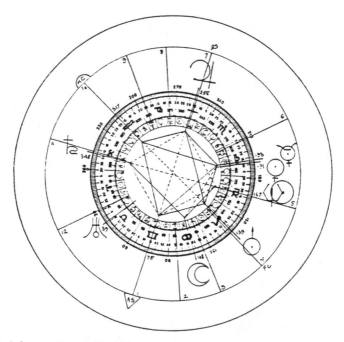

Réponse à la question du 8e chapitre.

Date: 10 septembre 1936	Tse: 21h18'
Heure: 23h	Signe: VIERGE
Lieu: VALLEYFIELD	Ascendant: GÉMEAUX

228

RÉPONSE AU QUESTIONNAIRE DU NEUVIÈME CHAPITRE

Ce chapitre était basé sur l'étude des structures individuelles et il fallait dresser la carte natale d'un sujet né le 7 février 1909 à 0h11' par 69°53' de longitude ouest et 18°23' de latitude nord.

Un atlas géographique nous permettait de constater que la naissance avait donc eu lieu dans la mer des Caraïbes au large de l'île de la République Dominicaine, face à Ciuadad Trujillo comme le montre la carte de la page 230. Le sujet analysé était un Verseau avec un Ascendant situé à 19° dans le signe du Scorpion.

La valorisation des structures individuelles donnait les résultats suivants:

Secteur Diurne	6 points
Secteur Nocturne	12 points
Secteur Oriental	13 points
Secteur Occidental	5 points
Secteur Angulaire	9 points
Secteur Succédant	3 points
Secteur Cadent	6 points

La synthèse générale pourrait être la suivante:

L'observation des structures individuelles de notre thème porte à penser qu'en regard des deux types fondamentaux définis par le docteur K.G. Jung, l'extraversion et l'introversion, c'est vers ce dernier que nous aurions tendance à classer le sujet. Il semble que son comportement effectue un cheminement voulu vers son propre intérieur, en orientant le psychisme vers un conditionnement qui le replie sur lui-même, le dotant d'un grand sens théorique et d'une subjectivité prépondérante.

Il est avant tout un idéaliste que le réalisme abandonne parfois, comme nous le confirme la valorisation majoritaire du secteur nocturne sur le diurne. Cependant, le natif sent les choses en profondeur et est attiré par tout ce que l'on veut lui cacher. Plus on voudra le garder dans l'ignorance de certains problèmes, plus il voudra les connaître et les pénétrer. Il sera souvent hanté par la nature de l'au-delà et par le côté négatif ou occulte de l'existence.

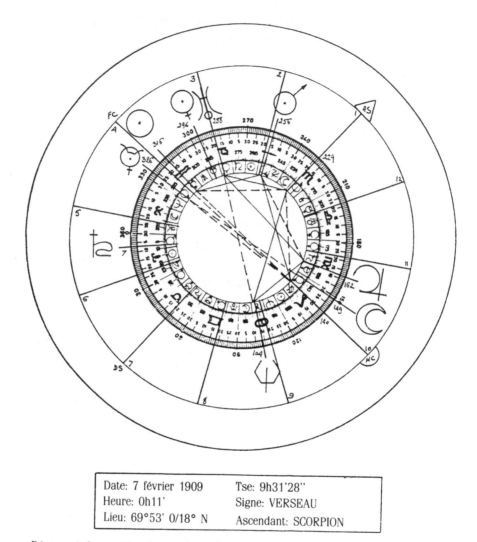

Date: 7 février 1909	Tse: 9h31'28''
Heure: 0h11'	Signe: VERSEAU
Lieu: 69°53' 0/18° N	Ascendant: SCORPION

Réponse à la question du neuvième chapitre.

La partie orientale de sa carte du ciel le pousse à appliquer toute son énergie aux circonstances qu'il est appelé à vivre de manière que l'action qu'il génère profite de quelque façon que ce soit à sa propre évolution et à son amélioration personnelle.

En fait avec ses idées progressistes, il parvient à rebondir lorsque son entourage tente de le décourager, et montrer une hostilité caractérisée à son endroit. Il rebondit donc et, plus dynamique encore, il poursuit ses objectifs avec plus de détermination et de fermeté.

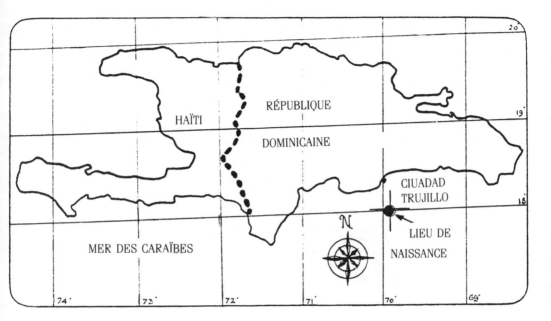

C'est un réceptif intéressé aux problèmes de la science et il tire une sorte de jouissance de toutes les choses qui exigent un public harmonieux.

La carence du secteur des maisons succédantes signifie que ses sentiments sont évidents et qu'il est accessible aux fortes émotions; cependant, le secteur angulaire montre un bon esprit d'initiative et une volonté inébranlable qui le poussent à diriger avec à-propos les entreprises dans lesquelles il est impliqué.

RÉPONSE AU QUESTIONNAIRE DU DIXIÈME CHAPITRE

Il s'agissait de domifier la carte du ciel d'une personne née le 26 août 1946 vers 8h20' dans la ville de Montréal. Nous avions là une Vierge avec un ascendant dans le même signe à 26°. Le Soleil se situait dans la douzième maison en conjonction avec la Lune située en maison 11. Cette dernière était en aspect sextile avec le Milieu du Ciel. (Voir la carte ci-dessous).

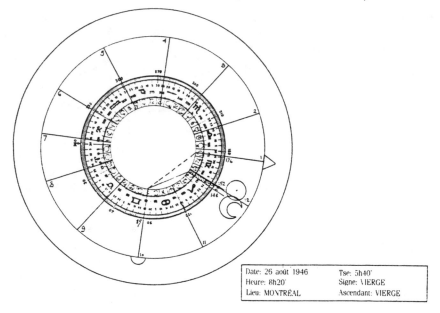

Date: 26 août 1946	Tse: 5h40'
Heure: 8h20'	Signe: VIERGE
Lieu: MONTRÉAL	Ascendant: VIERGE

L'analyse pourrait être la suivante:

Le comportement en regard des relations que lui impose sa vie sociale et professionnelle peut être fortement influencé par les sentiments et la sensibilité. Souvent la personne sera indécise face aux projets d'ordre professionnel, mais cela ne sera pas un handicap à sa réussite. Instinctivement le natif recherchera la popularité et éprouvera le besoin d'établir des contacts avec le public. On note encore que cette personne aura beaucoup d'amis ou de relations utiles et serviables, mais cependant d'humeur changeante.

Par sa position en maison douze, le Soleil lui donnera une vie secrète parfois distante et retirée. On note des prédispositions pour une activité professionnelle dans une fonction en rapport avec les milieux hospitaliers ou dans une maison de retraite, voire dans une prison. Il dénote aussi des aptitudes pour la médecine ou pour les travaux de recherches en laboratoire.

RÉPONSE AU QUESTIONNAIRE DU ONZIÈME CHAPITRE

Il fallait monter la carte du ciel d'un sujet né le 27 novembre 1971 à 5h23' dans la ville de Québec. Le Soleil se trouvait dans le signe du Sagittaire et l'Ascendant se plaçait dans le Scorpion.

Les planètes et les luminaires se situaient comme suit:

En secteur 1 nous avions le Soleil au carré du Milieu du Ciel;

En secteur 2 Vénus et Mercure étaient en conjonction formant aussi un carré à la Lune et un trigone au Milieu du Ciel;

En secteur 4 nous avions Mars en trigone à l'Ascendant et la Lune, comme nous venons de le dire, au carré de la conjonction Vénus-Mercure mais aussi en trigone à l'Ascendant.

Nous pouvions donc interpréter de la façon suivante:

Sur le plan psychologique, toutes les planètes et les luminaires se situaient en secteur nocturne d'une part et en signes automne-hiver d'autre part. Cela prédisposait le sujet à être introverti de manière profonde et innée. Cependant, c'est surtout la destinée en fonction des maisons et de leurs occupants qu'il fallait analyser.

Le Soleil en maison 1 et dans un signe de Feu permettait au natif d'être audacieux, énergique mais un peu trop orgueilleux, ce qui pourrait lui être défavorable dans le milieu professionnel et lui causer quelques difficultés dans son travail. C'est sans doute chez lui une sorte de défoulement consécutif à une enfance peut-être difficile dans le secteur familial. Cette manifestation de caractère pourrait bien se dérouler au cours de la majorité, mais certainement pas avant. Nous pouvons encore noter une tendance à l'autoritarisme exagéré et parfois à des manifestations d'agressivité.

Vénus et Mercure en maison 2 dénotent beaucoup d'intelligence en affaires et un sens aigu des transactions reliées à l'argent. Il est indiscutable que le natif sera assez fortuné et qu'il gagnera son argent par un travail soutenu et sérieux. Il vivra de façon satisfaisante au niveau matériel et les acquisitions lui seront facilitées, bien qu'il devra éviter les transactions immobilières ou un excès de luxe dans sa propre demeure. Le carré de Vénus-Mercure à la Lune est opposé à ce genre de choses.

La maison 4 occupée par un Mars harmonique permet de dire que la vieillesse sera généralement assez bien favorisée et que le natif n'aura pas à

La maison 4 occupée par un Mars harmonique permet de dire que la vieillesse sera généralement assez bien favorisée et que le natif n'aura pas à souffrir de maladie grave ou d'accident dangereux. Par contre, la Lune laisse prévoir que le natif pourrait manquer d'affection de la part de ses parents et qu'il pourrait connaître des conflits de personnalité, surtout avec sa mère qui ne comprendrait pas spécialement l'état d'âme de son enfant. Le carré de la Lune à Vénus en deux semble ici confirmer les risques de dépenses pour des transactions immobilières qu'il serait préférable d'éviter. On note une propension aux changements de domicile. (Voir la carte du ciel à la page ci-dessous).

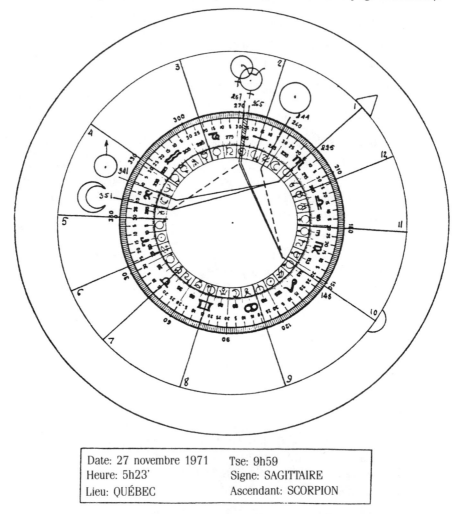

Date: 27 novembre 1971	Tse: 9h59
Heure: 5h23'	Signe: SAGITTAIRE
Lieu: QUÉBEC	Ascendant: SCORPION

En rapport avec la question du onzième chapitre.

RÉPONSE AU QUESTIONNAIRE DU DOUZIÈME CHAPITRE

Il fallait domifier la carte du ciel d'une personne née le 26 juin 1950 à 13h30' dans la ville de Montréal. Cette personne était donc une Cancer avec un ascendant dans le signe de la Balance.

En fonction des données de l'exercice, les astres se situaient de la façon suivante:

La Lune en deuxième maison était en bon aspect avec le Soleil ce qui signifie qu'au plan financier le sujet sera avantageusement favorisé. Il parviendra par son travail à réaliser des profits très valables et n'aura, au cours de sa vie, aucun problème majeur dans ce domaine.

Jupiter en maison 5 se trouve dans le signe des Poissons qui est son domicile nocturne. On peut donc dire qu'il procurera au natif de beaux enfants intelligents, lesquels arriveront à une position sociale enviable. En spéculations et jeux de hasard, le natif sera chanceux tout comme il aura de très bons passages de chance pure. Enfin au niveau sentimental, il aura de nombreuses liaisons affectives heureuses et protégées.

Vénus en maison 8 se situe dans le signe du Taureau et promet une bonne aisance par mariage ou par testament, héritage, don et legs. Une mort paisible et naturelle s'annonce quoiqu'un veuvage précoce ou la perte de personnes aimées est à prévoir.

Mercure en maison 9 donne un esprit religieux et philosophique. Il augmente l'intuition et incite aux voyages. Il donne la tolérance mais laisse place aux fréquents changements d'idées.

Le Soleil en maison 9 prédispose aux longs voyages heureux et à faire des séjours à l'étranger. Donne de bons rapports avec les gens. Il procure entre autres un idéal supérieur, la réalisation morale ou une passion spirituelle. Il fait enfin les hautes positions ecclésiastiques ou judiciaires.

Saturne en maison 11 pronostique la possibilité de la mort d'un enfant, et provoque l'infidélité des amis en ce qui concerne les spéculations. Par contre dans notre carte, elle est représentative d'alliés fidèles au niveau professionnel, particulièrement si ces alliés sont âgés.

Mars en maison 12 amène plusieurs ennemis secrets et malicieux, des procès, des accusations, des scandales et même des pertes de réputation. Cette planète annonce aussi la mort dans un hôpital ou dans un lieu de retraite.

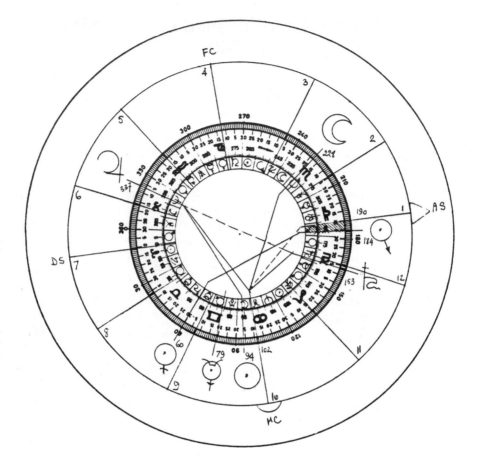

Date: 26 juin 1950	Tse: 6h50'
Heure: 13h30'	Signe: CANCER
Lieu: MONTRÉAL	Ascendant: BALANCE

Réponse à la question du douzième chapitre.

RÉPONSE AU QUESTIONNAIRE DU TREIZIÈME CHAPITRE

Il fallait domifier la carte du ciel d'une personne née le 26 avril 1957 à 10h10' dans la ville de Montréal. Nous devions trouver que ce Taureau avait un ascendant en Cancer, et en partant des positions fictives attribuées aux planètes et luminaires, nous pouvions analyser les maisons occupées de la façon suivante:

En premier lieu, la planète Uranus se trouve dans l'ascendant et dans le signe du Lion. Elle fait des aspects harmoniques avec Jupiter et avec le Milieu du Ciel, mais d'autres aspects dissonants avec Neptune, le Soleil et Vénus. Le Lion est l'exil d'Uranus. Naturellement ceci est une mauvaise position pour la planète et son influence fait les personnes peu heureuses dans la vie. Ce natif, bien qu'original et excentrique, ne réussira pas facilement les projets qui lui tiennent à cœur. On le voit intéressé aux questions humanitaires, d'avant-garde, mais il est susceptible et orgueilleux. Ce comportement sera d'ailleurs à l'origine des déceptions qu'il subira en regard de sa vie familiale et de ses rapports avec les parents.

Dans ses activités sentimentales il éprouvera des échecs, et des déceptions amères le pousseront à exploiter plusieurs aventures extra-conjugales.

Cependant, le natif gagnera une certaine popularité, voire même une sorte de célébrité, il aura de la difficulté à garder son emploi ou sa situation professionnelle en raison d'impondérables incontrôlables.

Il est très religieux et doté d'un sens profond de la justice. Apprécié de son entourage, il gagnera l'appui inconditionnel d'un ami fidèle.

Au plan pathologique, nous ne pouvons ignorer des prédispositions aux troubles et lésions attaquant particulièrement le cou, la gorge, l'estomac, la cage thoracique et le diaphragme. La présence d'Uranus dans son exil, le Lion laisse aussi envisager des problèmes cardiaques sérieux pouvant porter atteinte à la vie du sujet.

Jupiter en maison 3 est en harmonie avec Mercure et Uranus, mais en dissonance avec Mars et la Lune. On peut imaginer que le natif aura d'une manière générale assez de forces pour faire face aux attaques de la maladie. Il s'entendra très bien avec son entourage immédiat et sera favorisé dans ses déplacements. Doué pour l'écriture, on peut envisager qu'à un moment de son existence il aura l'envie de rédiger un ouvrage, sans doute des mémoires. Il aura d'ailleurs d'excellentes aptitudes et un profond jugement pour réaliser un bon livre. Ses projets nécessitant des déplacements seront protégés et auront toutes les chances de réussir.

Le carré de Jupiter à Mars nous porte à prévoir quelques difficultés de circulation sanguine; quant à l'opposition avec la Lune, elle donne à la vie un caractère de fragilité.

Dans la quatrième maison, Neptune est en opposition avec le Soleil et fait un carré avec Uranus. Ces aspects sont d'une importance telle qu'ils effacent presque totalement les effets du trigone martien. On trouve là une sorte de confirmation des difficultés familiales et des relations confuses du sujet avec ses parents. Les transactions immobilières sont plutôt illusoires et rarement favorables. L'aspect Neptune-Soleil indique encore des ennuis de santé. On est tenté de croire que le natif s'illusionne trop facilement et que ses espérances lui font perdre le sens des réalités.

Saturne dans la maison 5 provoque des spéculations et des jeux de hasard négatifs d'une part, mais aussi quelques inquiétudes au sujet d'un enfant. Le sujet n'aura pas beaucoup d'enfants, peut-être un, mais aura la joie de recevoir beaucoup d'amour et de respect de la part de ce dernier. Le trigone de Neptune au Milieu du ciel donne beaucoup d'appuis et de compréhension de la part de personnes plus âgées.

En regard de la maison 9, nous pressentons que le natif fera de nombreux voyages à l'étranger et que l'un d'eux pourrait être en rapport avec une hospitalisation ou une intervention chirurgicale. Cet augure est indiqué par la présence de Mars sur la cuspide de la douzième maison, en carré avec la Lune. Cette éventuelle intervention pourrait toucher le système respiratoire, car Mars dans le signe des Gémeaux indique les poumons et les bronches. Cette hospitalisation ne donnera pas les résultats escomptés et c'est plutôt chez lui, dans son pays (maison 4), que le natif aura le plus de chances de parvenir à une sorte de guérison. C'est Mars qui, cette fois, forme un trigone avec Neptune et qui pronostique de belles espérances de rétablissement.

˙CARTE DU CIEL˙

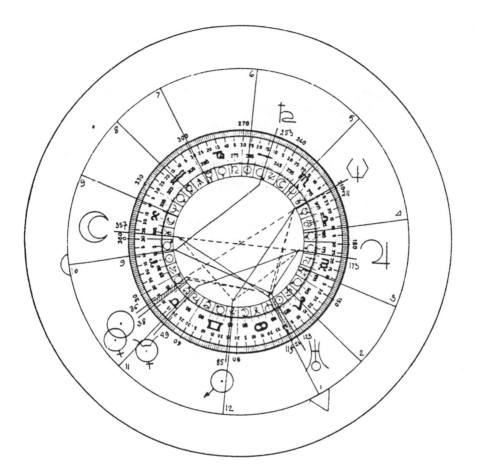

Date: 26 avril 1957	Tse: 0h33
Heure: 10h10'	Signe: TAUREAU
Lieu: MONTRÉAL	Ascendant: CANCER

En rapport avec la question du treizième chapitre.

RÉPONSE AU QUESTIONNAIRE DU QUATORZIÈME CHAPITRE

1) En utilisant les clés d'interprétation, nous pouvions répondre de la manière suivante:

   On note des obstacles et des retards (Saturne) à l'origine de tracas (Scorpion) en matière d'activités épistolaires et de correspondance (maison 3); cependant l'on peut espérer des résultats encourageants (trigone) dans ce domaine grâce à l'intervention inattendue et originale (Uranus) de certaines protections (maison 11) bienveillantes et sympathiques (Lion).

2) Les affaires (Mercure) en matière de spéculations financières (maison 5) se réaliseront lentement (Capricorne) et se heurteront à des obstacles (opposition) inattendus (Uranus) malgré les appuis sincères (maison 11) de relations sympathiques (Lion).

3) En rapport avec les revenus financiers (Jupiter) concernant des biens meubles ou immeubles (Vierge), vous connaîtrez jalousies et antagonismes (maison 12). Cependant, vous assisterez à un changement de la situation (Lune) qui entraînera la fructification (trigone) de vos biens et vous aurez de nombreux avantages (Soleil) découlant à long terme (Capricorne) de vos transactions immobilières (maison 4).

RÉPONSE AU QUESTIONNAIRE DU QUINZIÈME CHAPITRE

Il fallait domifier la carte d'une personne née le 8 novembre 1943 à 6h13' dans la ville de Montréal. Nous étions en présence d'une native du signe du Scorpion avec un ascendant dans le signe de la Balance.

Au plan financier, la maison 2 étant vide de planète se situant dans le signe du Scorpion, nous trouvions son maître Mars en maison 8. Nous pouvions donc prévoir que les gains de cette personne pourraient fort bien lui parvenir par le biais de son conjoint. D'autre part, la planète Mars étant fort bien aspectée par Mercure et par La Lune, conjointe à la cuspide de la maison 7, nous pouvions en déduire que les associations avec le conjoint seraient profitables financièrement à cette personne, puisque le sextile Mars-Lune annonce le succès dans les entreprises et permet de gagner beaucoup d'argent. Le trigone Mars-Mercure détermine une personne œuvrant sans doute dans l'ombre mais étant très entreprenante et infatigable, capable en outre de trouver le succès dans ses projets.

En ce qui concerne les transactions immobilières, qui sont reflétées par la maison 4, nous avions cette dernière vide de planète en signe du Verseau. Uranus, étant le maître du Verseau, se situait dans la maison 3 et était relativement bien aspecté. C'est sans doute après le décès du père que la personne pourrait envisager des transactions immobilières importantes. Ces dernières se présenteraient favorablement à la condition d'éviter toute opération impliquant des étrangers ou encore faite à l'étranger. Les associations dans ce domaine seraient favorables à la native si elle les réalise avec des personnes plus âgées, car ces dernières l'appuieront dans son désir de stabiliser sa situation. D'autre part, le sextile Soleil-Uranus peut lui assurer une réussite soudaine dans ses entreprises malgré un tempérament parfois autoritaire.

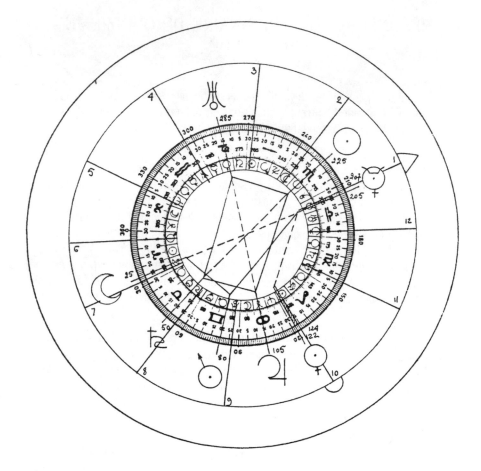

Date: 8 novembre 1943	Tse: 8h26'
Heure: 6h13'	Signe: SCORPION
Lieu: MONTRÉAL	Ascendant: BALANCE

En rapport avec la question du quinzième chapitre.